En toute amitié
et avec
reconnaissance

de Marie M.

# Parfums
## *de*
# sagesse

# ÉDITIONS
# TRUSTAR

Les ÉDITIONS TRUSTAR Ltée
2020, rue University, bureau 2000
Montréal (Québec) H3A 2A5

Vice-président édition : Claude Leclerc
Directrice des éditions : Annie Tonneau
Mise en pages : Jean Yves Collette
Photo de la couverture : Trustar
Conception graphique de la couverture : Laurent Trudel
Révision : Camille Gagnon et Claire Morasse
Correction : Corinne de Vailly

*Distribution pour le Canada :*
**Agence de distribution populaire**
1261 A, rue Shearer
Montréal (Québec) H3K 3G4
Téléphone : (514) 523-1182
Télécopieur : (514) 939-0705

*Distribution pour la France et la Belgique :*
**Diffusion Casteilla**
10, rue Léon-Foucault
78184 Saint-Quentin-en-Yvelines Cedex
Téléphone : (1) 30 14 19 30

*Distribution pour la Suisse :*
**Diffusion Transat S.A.**
Case postale 1210
4 ter, route des Jeunes
1211 Genève 26, Suisse
Téléphone : 022 / 342 77 40
Télécopieur : 022 / 343 4646

© ÉDITIONS TRUSTAR, 1997
Dépôt légal : deuxième trimestre 1997
Bibliothèque nationale du Québec
Bibliothèque nationale du Canada
ISBN 2-921714-17-5

# Claude Archambault

# Parfums
## *de*
# sagesse

### • Pensées choisies •

«On ne souhaite pas
quelque chose de meilleur,
on le devient...»

ÉDITIONS
**TRUSTAR**

Voulant éviter la répétition, l'auteur a choisi de classer ces pensées sous une seule rubrique du livre, là où celles-ci semblaient le plus appropriées.

Cependant, de par leur nature, certaines d'entre elles auraient pu être classées sous plusieurs thèmes différents. Il est donc conseillé au lecteur d'explorer ce recueil et, parfois, de consulter plus d'une rubrique pour trouver l'inspiration recherchée. Afin de faciliter ce travail, il est suggéré de consulter le sommaire qui suit.

# SOMMAIRE

# *ACTE*

**Si tu ne peux faire de grandes choses,
fais-en de petites avec fidélité.
(J. G. Lavater)**

Tu prétends que le monde est mal fait ? Mais que fais-tu, toi, pour le rendre plus beau ?
(F. Garagnon)

Celui qui n'agit pas après avoir pensé, a pensé imparfaitement.
(A. Desjardins)

Qui veut faire quelque chose trouve un moyen ; qui ne veut rien faire trouve une excuse.
(Proverbe arabe)

Ne fais pas ce qu'il te plaît de faire, mais ce que tu seras content d'avoir fait.
(J. Deval)

Qu'importe ce que je fais, c'est ce que je suis qui importe.
(A. Nin)

Le danger nous invite à la prudence et à la réflexion !
L'occasion nous invite à l'audace et à l'action !
(J.-G. Leboeuf)

Sans action, les plans ne sont que des rêves.
(O. Mandino)

La manière d'agir, c'est la manière d'être.
(Lao Tseu)

L'oiseau qui chante ne sait pas si on l'entendra.
(Proverbe polynésien)

Tout acte est prière s'il est don de soi.
(A. de Saint-Exupéry)

Ce n'est pas la conscience du bien qui te rendra vertueux mais son accomplissement.
(F. Garagnon)

Ne préférez jamais une grande bonne intention à une petite bonne action.
(M. Valyère)

Dès que vous décidez d'agir, il faut fermer les portes du doute.
(F. Nietzsche)

Ce qu'on hésite à faire n'a plus la même beauté.
(B. Groult)

Ce serait dommage de ne rien faire sous prétexte que nous ne pouvons pas tout faire.
(Proverbe anglais)

Cela ne sert à rien de faire plus, si l'on ne fait pas mieux.
(Sundari)

Lent en parole et prompt en action, tel est l'honnête homme.
(Confucius)

Celui qui suscite de bonnes actions est plus grand que celui qui les accomplit.
(Le Talmud)

Les bonnes actions repoussent les mauvaises.
(Le Coran)

Le corps se soutient par les aliments et l'âme, par les bonnes actions.
(Proverbe chinois)

Qui sème le vent récolte la tempête.
(Osée)

Les jeunes disent ce qu'ils font, les vieux, ce qu'ils ont fait et les sots, ce qu'ils veulent faire.
(C. F. Panard)

L'ennui est au bout de tous les plaisirs ; le contentement, au bout de tous les sacrifices.
(O. Pirmez)

Celui qui observe le vent ne sèmera point et celui qui interroge les nuages ne moissonnera jamais.
(L'Ecclésiaste)

À chaque instant du jour, nous semons pour l'éternité.
(Sainte Marie Euphrase)

Mieux vaut se mettre sérieusement à quelque chose même de médiocre, que de rêver éternellement à la perfection.
(H. de Tourville)

Une bonne action peut donc être une mauvaise action. Qui sauve le loup tue les brebis.
(V. Hugo)

Délibérer est le fait de plusieurs. Agir est le fait d'un seul.
(C. de Gaulle)

# *ADVERSITÉ*

**La prospérité montre les heureux,
l'adversité révèle les grands.
(Pline le Jeune)**

Qui me harasse m'enseigne la force.
(Proverbe serbe)

Il faut un obstacle nouveau pour un savoir nouveau.
(H. Michaux)

Quand on fait de grandes choses, il est difficile de plaire
à tout le monde.
(Solon d'Athènes)

Avec les mêmes pierres on peut bâtir une cathédrale
ou une prison.

Ce qui est contraire est utile, et c'est de la lutte que
vient la plus belle harmonie. Tout se fait par discorde.
(Héraclite)

Qui ne se lasse pas, lasse l'adversité.
(Proverbe chinois)

Quand rien ne va plus, reste à se changer soi-même.
(Y. Picotte)

Plus les circonstances seront contre toi, plus ta force
intérieure sera éclatante.
(Vivekânanda)

Depuis quand un tigre va-t-il à la chasse aux souris ?
(Proverbe soufi)

Cachez soigneusement votre supériorité de peur de
vous faire des ennemis.
(A. Schopenhauer)

Le monde est ce qu'il doit être pour un être actif, plein
d'obstacles.
(L. de Vauvenargues)

La pierre rencontrée en chemin est un obstacle pour le
faible ; pour le fort, c'est une marche pour s'élever.

Pour vaincre l'adversité, il faut croire, sourire et lutter.
(D. Legris)

Dieu ne ferme jamais une porte sans en ouvrir une
autre.
(Proverbe irlandais)

Si tu t'arrêtes chaque fois que tu entends un chien aboyer, tu n'arriveras jamais au bout de la route.
(Proverbe arabe)

L'adversité est grande. Mais l'homme est encore plus grand que l'adversité.
(R. Tagore)

# AFFAIRES

**Ce n'est pas tant d'être riche qui fait
le bonheur ; c'est de le devenir.
(Stendhal)**

Chacun conçoit les affaires selon la portée de son esprit.
(Cardinal de Richelieu)

Prenez le temps de vous faire des amis avant de vous faire des clients.
(E. Wheeler)

N'achetez pas avec vos oreilles, mais avec vos yeux.
(Proverbe tchèque)

Il y a deux sortes de mauvais payeurs : ceux qui ne paient jamais et ceux qui paient trop tôt.
(Proverbe anglais)

Le prix s'oublie, la qualité reste.

# ÂGE

**On a tous le même âge,**
**mais pas en même temps.**
**(J. Lemay)**

Mûrir, c'est trouver sa place dans le monde.
(E. Mounier)

L'homme arrive novice à chaque âge de la vie.
(Chambord)

Les jeunes sont ceux qui vivent dans l'avenir, les vieux,
ceux qui vivent dans le passé.
(T. Deshimaru)

C'est un privilège de vieillir, sinon on est mort.

Vous êtes aussi vieux que vos doutes et aussi jeunes
que vos enthousiasmes.
(Général MacArthur)

On est toujours plus vieux qu'on ne le croit mais aussi
plus jeune qu'on ne le pense.
(E. Avar)

Ne pas repousser son âge, c'est le dominer.
(M. Denuzière)

Qui accepte de vivre n'a pas d'âge.

Comme la lumière sur le chandelier sacré, telle est la beauté du visage dans l'âge épanoui.
(L'Ecclésiaste)

La jeunesse a une belle face et la vieillesse, une belle âme.
(Proverbe suédois)

Chaque âge a ses problèmes. On les résout à l'âge suivant.
(M. Chapelan)

À un certain âge les deux bras d'un fauteuil vous attirent plus que les deux bras d'une femme.
(G. Flaubert)

Soixante ans. Ce déguisement de vieillard qu'il va falloir porter.
(J. Rostand)

# AMBITION

**On ne souhaite pas quelque chose
de meilleur, on le devient.
(J. Rohn)**

Qui ouvre son cœur à l'ambition, le ferme au repos.
(Proverbe chinois)

Il ne t'est jamais donné un désir sans que ne te soit
donné le pouvoir de le rendre réalité. Tu peux être néan-
moins obligé de peiner pour cela.
(R. Bach)

On néglige parfois les choses essentielles et on croit
avoir fait beaucoup quand on s'est beaucoup agité.
(A. Clavel)

Qui veut faire de grandes choses doit penser profondément aux détails.
(P. Valéry)

Celui qui vise la perfection sera au-dessus de la médiocrité ; mais celui qui vise la médiocrité tombera plus
bas encore.
(Confucius)

Détournez-vous de ceux qui vous découragent de vos ambitions. C'est l'habitude des gens mesquins. Ceux qui sont vraiment grands vous font comprendre que vous aussi pouvez le devenir.
(M. Twain)

Qui ne s'enflamme pas ne saurait resplendir.
(Proverbe occitan)

Les tours les plus hautes font les plus hautes chutes.
(Horace)

# ÂME

**Reste à savoir si une âme inquiète
ne vaut pas mieux qu'une âme endormie.
(M. Yourcenar)**

Celui qui aspire à être une grande âme dans le futur
doit se montrer une grande âme dans le présent.
(R. W. Emerson)

À mesure que le corps descend vers son déclin, vers
son apogée l'âme s'élève.
(M. Jouhandeau)

La grandeur d'âme est chose relative et ce qui est chose
aisée à une nature évoluée représente pour un autre
un geste d'héroïque magnanimité.

Un reflet de Dieu se trouve dans l'âme de l'homme ;
elle doit donc laisser Dieu agir à sa place.

Voile la face aux déceptions du monde, méfie-toi de
tes sens car ils trompent. Mais à l'intérieur de ton corps,
sanctuaire de tes sensations, recherche dans l'imper-
sonnel l'homme éternel et quand tu l'auras trouvé,
regarde-toi, tu es Dieu.

Imagine ton âme comme un voilier dans une bouteille.
(J. Deval)

L'âme est l'œil auquel il est donné de contempler la lumière.
(C. G. Jung)

Plonge ton regard dans ton âme. C'est là ton seul espoir.
(W. Reich)

J'aime mieux forger mon âme que la meubler.
(M. de Montaigne)

Rien ne peut enchaîner la force de l'âme.
(W. Shakespeare)

Ni la pauvreté ne peut avilir les âmes fortes, ni la richesse ne peut élever les âmes basses.
(L. de Vauvenargues)

Il vaut mieux donner son âme au diable que d'essayer de la vendre à Dieu.
(G. Cesbron)

Pour travailler à son âme, l'homme a besoin d'un ange. Il a aussi besoin d'un démon.
(M. Noël)

La plus belle des musiques de l'âme, c'est la bonté.
(R. Rolland)

Aussitôt qu'un homme a le nécessaire, il ne lui faut
que l'élévation dans l'âme pour se passer du superflu.
(B. Constant)

Ce qu'est Dieu dans l'âme qui l'aime, nul ne le sait
que l'âme dans laquelle il est.

# AMITIÉ

**Pour garder vos bons amis,
supprimez les mauvais.
(Yi king)**

Si tu cherches à n'avoir que des amis, tu ne feras jamais rien.

Être l'ami de tout le monde est la force des faibles.
(J. Dutourd)

L'amitié est une bienveillance mutuelle.
(Aristote)

Un des changements les plus heureux de la vie, c'est celui qu'entraîne une amitié nouvelle.
(Yi king)

Les vrais amis sont les meilleurs défenseurs. Les faux amis sont les pires ennemis.

L'amitié c'est le vin de la vie.
(E. Young)

Ceux-là n'ont le nom d'amis et point la réalité, dont l'amitié ne résiste pas au malheur.
(Euripide)

Heureux celui dont les amis sont venus au monde avant lui.
(J. Ray)

Si tu veux gagner un homme à ta cause, convaincs-le d'abord que tu es son ami.
(A. Lincoln)

Un ami est long à trouver et prompt à perdre.
(Proverbe chinois)

Si tu veux connaître ton ami, couche-toi au bord du chemin et simule l'ivresse.
(Proverbe jamaïcain)

Ne te lie pas d'amitié avec un gardien d'éléphant, si tu n'as pas de place pour recevoir un éléphant.
(M. Saadi)

# AMOUR

> **Je ne sais où va mon chemin,**
> **mais je marche mieux quand**
> **ma main serre la tienne.**
> **(A. de Musset)**

Ce qu'il y a d'admirable dans l'amour, c'est qu'en s'occupant de l'autre, on s'occupe encore de soi.
(M. Corday)

Θ━━━━━━━Θ

La distance n'a pas d'importance, la présence c'est une affaire de cœur.

Θ━━━━━━━Θ

L'amour est comme un jardin que l'on arrose ; les saisons où l'on plante ne sont pas toujours celles où l'on récolte.
(M. Naslednikov)

Θ━━━━━━━Θ

L'amour n'est pas une émotion mais un état d'être.
(S. Levine)

Θ━━━━━━━Θ

Il n'y a qu'un remède à l'amour, aimer davantage.
(H. D. Thoreau)

Θ━━━━━━━Θ

Le bois de santal offre son parfum même à l'acier qui le fond !

Θ━━━━━━━Θ

Sur un sentier raide et pierreux, j'ai rencontré une petite fille qui portait sur son dos, son jeune frère. « Mon enfant, tu portes un lourd fardeau », lui ai-je dit. Elle me regarda et dit : « Ce n'est pas un fardeau, monsieur, c'est mon frère. »

L'amour n'est pas un sentiment à la portée de n'importe qui ; il dépend de notre niveau de maturité.
(E. Fromm)

L'amour n'est pas un don, mais un vœu.
(N. Mailer)

Accepter un autre « tel qu'il est », c'est vraiment un acte d'amour ; se sentir accepté, c'est se sentir aimé.
(Dr T. Gordon)

Comment pourrait-on donner ce qu'on n'a pas, aimer l'autre quand on ne sait pas d'abord s'aimer soi-même ? C'est impossible.
(Bhagwan)

Rien n'est moins à l'abri du danger que l'amour.
(J. Irving)

Les êtres aimés peuvent entrer et sortir de notre vie, l'amour que nous leur avons donné demeure.
(G. Sheehy)

Il y a un signe infaillible auquel on reconnaît que l'on aime quelqu'un d'amour. C'est lorsque son visage nous inspire plus de désir physique qu'aucune autre partie de son corps.
(M. Tournier)

Quand l'« amour » finit, l'amour peut commencer.
(S. Brogger)

Si tu m'apprivoises, nous aurons besoin l'un de l'autre. Tu seras pour moi unique au monde. Je serai pour toi unique au monde.
(A. de Saint-Exupéry)

Tout le monde peut être amoureux, mais peu de gens sont capables d'aimer.
(E. Amado Levy Valensi)

Chaque fois que tu n'es pas là, j'ai l'impression d'être ailleurs.
(R. Gary)

L'être humain devient mature lorsque son besoin d'autrui fait place à l'amour d'autrui.
(O. Rajneesh)

L'amour est à lui-même sa propre récompense.
(A. de Saint-Exupéry)

Aime, et fais ce que tu veux.
(Saint Augustin)

Sois ce que tu aimes et tu aimeras ce que tu es.
(J. Roux)

La volupté, voulant une religion, inventa l'amour.
(N. Clifford Barney)

En amour, il n'y a rien de plus persuasif qu'une courageuse bêtise.
(H. de Balzac)

Chaque jour je t'aime davantage, aujourd'hui plus
qu'hier et bien moins que demain.
(R. Gérard)

Le véritable amour entre deux êtres doit être fondé sur
la reconnaissance mutuelle de deux libertés.
(S. de Beauvoir)

Cette fusion en un seul être, de deux être séparés, ac-
complie graduellement à travers toute une vie, est
l'œuvre la plus haute.
(D. H. Lawrence)

Aimer c'est trouver son bonheur dans la félicité
d'autrui.
(W. G. Leibniz)

La vie est un sommeil, l'amour en est le rêve, et vous aurez vécu si vous avez aimé.
(A. de Musset)

Ce qui se fait par amour se fait toujours par-delà le bien et le mal.
(F. Nietzsche)

Qui m'aime aime aussi mon chien.
(Saint Bernard)

La magie du premier amour, c'est d'ignorer qu'il puisse finir un jour.
(B. Disraeli)

L'amour véritable commence là où il n'attend rien en retour.
(A. de Saint-Exupéry)

Quiconque n'aime pas, ne comprend rien.
(Père Gratry)

Le feu s'alimente par le bois qu'on y met et l'amour, par les actes que l'on fait.
(Sainte Thérèse d'Avila)

Le sens d'un baiser est : vous êtes pour moi une nourriture.
(H. de Montherlant)

Avec deux yeux bavards parfois j'aime jaser ; mais le seul vrai langage au monde est un baiser.
(A. de Musset)

Aimer est le grand point, qu'importe la maîtresse ? Qu'importe le flacon, pourvu qu'on ait l'ivresse ?
(A. de Musset)

Aimer, c'est donner à quelqu'un le droit, sinon le devoir, de nous faire souffrir.
(G. Perros)

Être amoureux n'est pas nécessairement aimer. Être amoureux est un état ; aimer est un acte. On subit un état, mais on décide un acte.
(D. de Rougemont)

L'amour, c'est quand la différence ne sépare plus.
(J. de Bourbon)

L'amour est la plus universelle, la plus formidable et la plus mystérieuse des énergies cosmiques.
(P. Teilhard de Chardin)

L'amour, c'est être toujours inquiet de l'autre.
(M. Achard)

Un amour défini est un amour fini.
(A. Berthet)

Seul celui qui aime existe.
(L. Feuerbach)

L'amour, c'est l'âme qui ne meurt pas, qui va croissant, montant comme une flamme.
(E. de Guérin)

Mon amour, c'est le fil auquel se tient ma vie.
(É. de La Boétie)

Amour, tu as été mon maître, / je t'ai suivi sur tous les dieux. / Ah ! Si je pouvais deux fois naître, / comme je te servirais mieux.
(C. Marot)

En amour, il n'y a pas de règles ; il n'y a que des exceptions.
(E. Pailleron)

L'amour est une fleur délicieuse, mais il faut avoir le courage d'aller la cueillir sur les bords d'un précipice affreux.
(Stendhal)

Il n'y a pas d'amour malheureux ; on ne possède que ce qu'on ne possède pas. Il n'y a pas d'amour heureux ; ce qu'on possède, on ne le possède plus.
(M. Yourcenar)

L'émotion qui annonce l'amour est une sorte d'ivresse où se trouvent mêlés la crainte et l'espoir du plaisir.
(Alain)

L'amour est toujours devant vous. Aimez.
(A. Breton)

Plus on aime, plus on souffre. La somme des douleurs possibles pour chaque âme est proportionnelle à son degré de perfection.
(H. F. Amiel)

Le mystère de l'amour va plus haut que la vie ; il doit embrasser le ciel et l'enfer, comme il embrasse à la fois la chair et l'âme.
(P. Lebesgue)

Celui qui aime est plus divin que celui qui est aimé puisque dans le premier est le dieu, mais non pas dans l'autre.

L'homme ne doute de sa liberté que parce qu'il ignore l'étendue immense du pouvoir de l'amour.
(O. V. de Lubicz Milosz)

On peut faire beaucoup avec la haine, mais encore plus avec l'amour.
(W. Shakespeare)

Sous sa carapace de lâcheté, l'homme aspire à la bonté et veut être aimé. S'il prend le chemin du vice, c'est qu'il a cru prendre un raccourci qui le mènerait à l'amour.
(J. Steinbeck)

Amour : l'aile que Dieu a donnée à l'homme pour monter jusqu'à lui.
(Michel-Ange)

# *APPARENCE*

**L'aspect du guerrier est
pour une part dans la victoire.
(P. Syrus)**

Tout homme qui a les yeux fermés n'est pas endormi ;
et tout homme qui a les yeux ouverts n'est pas nécessairement capable de voir.
(Père A. de Mello)

Aimer une personne pour son extérieur, c'est comme
aimer un livre pour sa reliure.
(L. Conan)

L'homme qui semble le plus éloigné du but est souvent celui qui en est le plus proche.

La grandeur, pour se faire connaître, doit souvent
consentir à imiter la grandeur.
(J. Rostand)

Il s'agit d'être grand et non de le paraître.
(R. Rolland)

La mode ça empêche de voir ce qui est éternel.
(J. Renoir)

Plus on plaît généralement, moins on plaît profondément.
(Stendhal)

Dans les grandes choses, les hommes se montrent comme il leur convient de se montrer ; dans les petites, ils se montrent comme ils sont.
(H. de Chambord)

Les choses ne changent pas ; c'est nous qui changeons.
(H. D. Thoreau)

C'est sur le fond et non sur l'apparence qu'il faut juger.
(J. de La Fontaine)

Les belles plumes font les beaux oiseaux.
(B. des Périers)

Les yeux de l'esprit ne s'ouvrent que lorsque les yeux du corps se ferment.
(Platon)

Tant que le moment d'agir n'est pas venu, il faut demeurer dans l'immobilité et paraître le plus idiot possible.
(Sun-Tzu)

# ARGENT

**Les biens sont destinés à rendre la vie plus confortable et plus tranquille, et non à être le but ultime de l'existence.**
**(M. Saadi)**

La meilleure façon de se défendre de l'argent, c'est d'en avoir.
(R. Gary)

La richesse, c'est monstrueux. Il ne faut pas plus d'un mois pour s'habituer à manipuler de l'argent, mais apprendre à ne pas en être esclave demande des années.
(J. Fowles)

Acheter à crédit, c'est comme s'enivrer. Le plaisir est immédiat, la migraine est pour le lendemain.
(Dr J. Brothers)

La possession des richesses a des filets invisibles où le cœur se prend insensiblement.
(J. B. Bossuet)

Qui veut être riche ne sera pas bon ; qui veut être bon ne sera pas riche.
(Mong-Tseu)

Sur cent projets d'un riche, il y en a quatre-vingt-dix-neuf pour le devenir davantage.
(Proverbe chinois)

Tous les faux biens produisent de vrais maux.
(Proverbe chinois)

Être riche et se priver, ce n'est pas être riche, c'est se faire gardien de bagages.

Les gens ont trop à manger, alors ils se sont mis à avoir faim d'argent.
(I. Cagnati)

On croit que l'on possède, et l'on est possédé.
(A. Gide)

Ni la richesse ni l'autorité ne peuvent créer une personne là où il n'y en a pas.
(A. Lowen)

Un singe habillé de soie est toujours un singe.

L'argent est une bonne chose pour les bons et une mauvaise pour les méchants.
(Philon le Juif)

L'argent est un onguent.
(Pline le Jeune)

Dieu règne au ciel, et l'argent sur la terre.
(Proverbe allemand)

C'est une grande folie que de vivre pauvre pour mourir riche.
(Juvénal)

Ce n'est pas le travail qui est la liberté : c'est l'argent qu'il procure, hélas !
(G. Cesbron)

> **Que chacun devienne l'artiste
> de ce qu'il a reçu.
> (F. Dolto)**

Chacun de nous est un désert ; une œuvre est toujours un cri dans le désert.
(F. Mauriac)

L'art existe pour que nous ne mourions pas de la vérité.
(F. Nietzsche)

L'œuvre d'art a une mission mystique qui est de racheter le réel.
(E. Jaloux)

Tout art véritable doit aider l'âme à réaliser ce qu'elle a en elle-même.
(Gandhi)

L'artiste est le seul homme qui sait quoi faire avec de la beauté.
(E. Rostand)

L'homme qui sait combien il convient de jouir de la vie et des créations des autres hommes est l'artiste suprême.
(A. Malraux)

C'est cela la vrai beauté de la poésie ; au lieu de parler de ce qui est, elle chante quelque chose qui est infiniment plus élevée que la réalité et qui, pourtant, lui ressemble davantage.
(I. S. Tourgueniev)

Le peintre ce n'est pas celui qui est inspiré, mais celui qui est capable d'inspirer les autres.
(S. Dali)

Le plus beau triomphe de l'écrivain est de faire penser ceux qui peuvent penser.
(E. Delacroix)

La poésie est une religion sans espoir.
(J. Cocteau)

Le poète est celui qui inspire bien plus que celui qui est inspiré.
(P. Éluard)

L'art est de cacher l'art.
(Quintilien)

L'art est beau quand la main, la tête et le cœur travaillent ensemble.
(J. Ruskin)

L'écriture c'est passer le temps. La peinture c'est l'effacer.
(G. Perros)

L'art est une démonstration dont la nature est la preuve.
(G. Sand)

La grandeur d'un artiste se mesure aux tentations qu'il a vaincues.
(A. Camus)

Au moment où l'artiste pense à l'argent, il perd le sentiment du beau.
(D. Diderot)

Je sais que la poésie est indispensable, mais je ne sais pas à quoi.
(J. Cocteau)

S'il veut être en paix avec lui-même, un musicien doit faire de la musique, un peintre, peindre, un poète, écrire.
(A. Maslow)

Une vie est une œuvre d'art. Il n'y a pas de plus beau poème que de vivre pleinement.
(G. Clémenceau)

# ATTITUDE

**Ne blâme pas Dieu d'avoir créé le tigre ;
remercie-le plutôt de ne pas lui
avoir donné des ailes.
(J. Faïtlovich)**

L'attitude, c'est cette petite chose qui fait une grande différence.

Que vous pensiez pouvoir le faire et que vous pensiez ne pas pouvoir le faire, vous êtes dans le vrai.
(H. Ford)

Faites ce que vous pouvez, avec ce que vous avez, là où vous êtes.
(T. Roosevelt)

Une chose est ennuyeuse ou plaisante selon ce qu'on y apporte soi-même.

Ne placez aucune tête au-dessus de la vôtre.
(Rinzai)

Il n'y a rien de mal à fuir, quand on sait qu'on ne peut rien faire de bien en restant.
(D. Lessing)

L'humour est une déclaration de dignité, une affirmation de la supériorité de l'homme sur ce qui lui arrive.
(R. Gary)

Ceux qui vivent un drame sont ceux qui s'en font un drame.
(J. Irving)

Il y a un temps pour se mêler des choses, et un temps pour laisser les choses aller.
(J. Gracq)

Désire ce que tu veux, donne ce tu peux et fais ce que tu dois.
(F. Garagnon)

Dis moins, sois plus.
(F. Garagnon)

Conduisez-vous envers les gens comme s'ils étaient ce qu'ils devraient être, et vous les aiderez à devenir ce qu'ils sont capables d'être.
(J. W. Goethe)

Si tu es pressé, fais un détour.
(Proverbe oriental)

En une minute je peux changer mon attitude et en cette minute je peux changer toute ma journée.
(S. Johnson)

C'est la dose qui fait le poison.
(Paracelse)

Le découragement est beaucoup plus douloureux que
la patience.

Pour l'esprit terne, toute la nature est terne. Pour l'esprit illuminé, le monde entier flambe et rayonne.
(R. W. Emerson)

On va plus loin le chapeau à la main que le chapeau
sur la tête.

# AUDACE

**Ne réclame pas des chevauchées fantastiques
si tu n'es pas prêt à prendre le risque
de mordre la poussière.
(F. Garagnon)**

Au plus profond de la mer se trouvent des richesses in-
calculables, mais si vous recherchez votre sécurité, restez
sur le rivage.
(M. Saadi)

Défier ses limites signifie avoir la volonté d'entrer dans
l'inconnu, d'approcher du lieu où se produit la véritable croissance.
(S. Levine)

La seule façon de découvrir les limites du possible est
d'aller au-delà du possible, dans l'impossible.
(A. C. Clark)

Les gens d'action ont appris à sortir des sentiers bat-
tus. Ils ont le courage de prendre des risques. Ils
trouvent leur force dans ce qu'ils ramassent de nouveau sur le chemin de cet inconnu.
(G. Sénéchal)

Un bateau est à l'abri dans le port. Mais les bateaux ne sont pas faits pour cela.
(J. A. Shedd)

À quoi bon emprunter sans cesse le même vieux sentier ? Vous devez tracer des sentiers vers l'inconnu.
(H. D. Thoreau)

Si vous voulez attraper le petit du tigre, vous devez entrer dans sa tanière, car qui ne risque rien n'a aucune chance.
(Proverbe zen)

Il faut toujours connaître les limites du possible. Pas pour s'arrêter, mais pour tenter l'impossible dans les meilleures conditions.
(R. Gary)

Ce n'est pas parce que les choses sont difficiles que nous n'osons pas, c'est parce que nous n'osons pas qu'elles sont difficiles.
(Sénèque)

Les personnes réalistes ne tentent jamais l'impossible.

L'audace doit être de l'inconscience calculée.

Que de chose il faut ignorer pour agir.
(P. Valéry)

Il faut savoir jusqu'où aller trop loin.
(P. Ustinov)

Entretenez l'impossible, l'impossible fera le reste.
(F. Carles)

Le ridicule n'existe pas ; ceux qui osèrent le braver en face conquirent le monde.
(H. G. Mirabeau)

L'audace est une royauté sans couronne.
(Le Talmud)

Veux-tu des perles ? Plonge dans la mer.
(Proverbe kurde)

Osez, c'est encore le meilleur moyen de réussir.
(R. Plus)

Si vous ne pouvez pas supporter la piqûre, ne mettez pas votre doigt dans le nid du scorpion.
(M. Saadi)

L'audace est le signe qu'un être a réussi à se libérer des craintes extérieures.

Le succès fut toujours un enfant de l'audace.
(P. Crébillon)

Plongez au fond du gouffre, enfer ou ciel, qu'importe ?
Au fond de l'inconnu pour trouver du nouveau !
(C. Baudelaire)

# BEAUTÉ

**Que l'important soit dans ton regard,
non dans la chose regardée.
(A. Gide)**

Un peu de beauté vaut mieux que beaucoup de richesses.
(M. Saadi)

Si vous êtes beau, restez digne de votre beauté ; si vous êtes laid, faites oublier votre laideur par votre savoir.
(Socrate)

La maison est une belle maison quand elle est habitée par de braves gens.
(G. Herbert)

Ce qui est vraiment beau est ce qui rend l'homme meilleur.
(Madame de Staël)

La grâce et la beauté sont bien peu de choses lorsqu'elles ne sont qu'extérieures.
(Yi king)

Dès que tu vois une chose et que tu désires non pas la prendre, mais te donner à elle, dis-toi que cette chose est la beauté.
(K. Gibran)

La beauté est une fleur éphémère.
(Isaïe)

Ce qui est beau réunit, ce qui est beau vient de Dieu.
(P. Claudel)

J'oserai dire qu'il n'y a de vrai au monde que le beau. Le beau nous apporte la plus haute révélation du divin qu'il soit permis de connaître.
(A. France)

La beauté déteste les idées. Elle se suffit à elle-même. Cette beauté dont je parle provoque une érection de l'âme. Une érection ne se discute pas.
(J. Cocteau)

La beauté, c'est l'harmonie du hasard et du bien.
(S. Weil)

# BONHEUR

**Le vrai bonheur coûte peu ;**
**s'il est cher, il n'est pas de bonne qualité.**
**(Chateaubriand)**

On court après le bonheur et l'on oublie d'être heureux.
(Cavanna)

Le bonheur est une science qui s'apprend quotidiennement.
(K. Keyes)

Si tu veux comprendre le mot bonheur, il faut l'entendre comme récompense et non comme but.
(A. de Saint-Exupéry)

Et pourtant ne peut rien pour le bonheur d'autrui celui qui ne sait être heureux lui-même.
(A. Gide)

Le bonheur vient de l'attention aux petites choses ; et le malheur, de la négligence des petites choses.
(Liou-Hiang)

L'homme content de son sort ne connaît pas la ruine.
(Lao Tseu)

Sois ton propre palais ou le monde sera ta prison.
(J. Donne)

Voulez-vous être heureux ou voulez-vous avoir raison ?
(G. Jampolski)

Les grands bonheurs viennent du ciel ; et les petites joies viennent des hommes.
(Proverbe chinois)

À ceux qui désirent être heureux, lisez bien le mode d'emploi : « Le bonheur ne va pas au micro-ondes ».

Celui qui sait une chose ne vaut pas celui qui l'aime. Celui qui aime une chose ne vaut pas celui qui en fait sa joie.
(Confucius)

Le bonheur ne se cherche pas, il se rencontre.
(Mistinguett)

Il n'y a pas de plus grande joie que celle qu'on n'attend pas.
(Sophocle)

Ce sont les petits changements que nous effectuons aujourd'hui qui nous assurent des lendemains meilleurs.
(R. Bach)

J'ai connu le bonheur, mais ce n'est pas ce qui m'a rendu le plus heureux.
(J. Renard)

Si tu fais dépendre ton bonheur des actes de quelqu'un d'autre, ça ne m'étonne pas que tu aies un problème.
(R. Bach)

Seul notre cœur est l'artisan de son propre bonheur.
(J. W. Goethe)

Une maison chaude, du pain sur la nappe et des coudes qui se touchent, voilà le bonheur.
(F. Leclerc)

Être généreux est un gage de bonheur.
(Yi king)

À souhaiter vivre de plus beaux jours encore, on oublie trop facilement les jours heureux qui coulent.
(Y. Navarre)

Pourtant, lorsque nous croisons quelqu'un de véritablement heureux, nous voyons bien que son bonheur
ne vient pas de ce qu'il a, mais de ce qu'il est.
(S. Levine)

Pour être heureux, il est plus important d'aimer ce que
l'on a que d'obtenir ce que l'on veut.
(S. Campbell)

Ne cherche pas le bonheur, fais-le.
(F. Garagnon)

Il y a un bonheur plus haut ou le bonheur paraît futile.
(A. Camus)

Ce n'est pas en cherchant le bonheur qu'on le trouve,
c'est en le donnant.
(F. Morellet)

Le plaisir se rencontre, le bonheur se poursuit.

Pour sentir la rose qui borde le chemin, le coureur doit
s'arrêter et s'agenouiller.
(G. de Gagné)

Ne rien demander et ne se plaindre de personne est
une excellente recette pour être heureux.
(L. Bonald)

Il ne dépend pas de toi d'être riche, mais il dépend de toi d'être heureux.
(Épictète)

L'homme heureux est celui qui, acceptant d'être malheureux, ne l'est plus.
(J. Lemaître)

Le seul bonheur qu'on a vient du bonheur qu'on donne.
(E. Pailleron)

Pour être heureux jusqu'à un certain point, il faut que nous ayons souffert jusqu'au même point.
(E. Poe)

N'entretenez pas de votre bonheur un homme moins heureux que vous.
(Pythagore)

Le parfait bonheur consiste à rendre les gens heureux.
(J.-M. Rousseau)

Quand vous aurez cessé de songer au bonheur, vous l'aurez trouvé.
(C. Secrétan)

Un homme qui avait fait le tour du monde pour trouver une rose très rare, la découvrit après dix ans de voyage... dans son propre jardin.
(Proverbe russe)

Pour être heureux avec les êtres, il ne faut leur demander que ce qu'ils peuvent donner.
(T. Bernard)

L'un des moments les plus satisfaisants de la vie est la fraction de seconde durant laquelle le familier se transforme soudainement en l'aura éblouissante du profondément nouveau.
(E. B. Lindman)

On ne fait son bonheur qu'en s'occupant de celui des autres.
(B. de Saint-Pierre)

Le bonheur est la plus grande des conquêtes, car c'est celle qu'on fait contre le destin qui nous est imposé.
(A. Camus)

Le bonheur des méchants est le crime des dieux.
(A. Chénier)

On obtient le bonheur, dans la mesure où on ne l'attend que de soi.
(M. Jouhandeau)

Je ne désire rien du passé. Je ne compte plus sur l'avenir. Le présent me suffit. Je suis un homme heureux,
car j'ai renoncé au bonheur.
(J. Renard)

Si l'on bâtissait la maison du bonheur, la plus grande
pièce serait la salle d'attente.
(J. Renard)

Le bonheur est le parfum de l'âme, l'harmonie du cœur
qui chante.
(R. Rolland)

Il n'y a pas de bonheur sans courage ni de vertu sans
combat.
(J.-J. Rousseau)

# BONTÉ

**Je crois que les hommes qui vivent pour les autres parviendront un jour à rebâtir ce que les égoïstes ont détruit.**
**(M. Luther King)**

Si tu as de nombreuses richesses, donne ton bien ; si tu possèdes peu, donne ton cœur.
(Proverbe berbère)

Lorsque nous cherchons à être meilleurs que nous ne le sommes, tout devient meilleur autour de nous.
(P. Coelho)

Il y a une chose qui n'a pas de prix... C'est la gratuité.

Savoir où est le bien et s'en détourner, il n'y a pas de pire lâcheté.
(Confucius)

Quand tu montes, sois gentil avec les gens, car quand tu descendras, ce sont les mêmes personnes que tu rencontreras.
(M. Léger)

Lorsque pour gravir une montagne on ne peut monter son cheval, c'est un mauvais cheval. Lorsque pour descendre une montagne, on ne descend pas de cheval c'est un mauvais homme.
(Proverbe chinois)

La sympathie véritable est celle qu'on accorde à ce qu'on n'approuve pas.

Tout ce qu'on est incapable de donner finit par nous posséder.
(A. Gide)

Vous ne pouvez vivre une journée parfaite sans avoir fait quelque chose pour quelqu'un qui ne pourra jamais vous le rendre.
(J. Wooden)

La bonté envers ce qui est en bas garantit la sécurité de ce qui est en haut.
(Confucius)

C'est n'être bon à rien que n'être bon qu'à soi.
(C. H. D. Duponchel)

La générosité croit toujours devoir ce qu'elle donne.
(S. Swetchine)

L'homme n'est bon qu'à la condition de l'être à l'égard de tous.
(P. Syrus)

La morale, ce n'est pas seulement être bon, mais aussi être bon à quelque chose.
(H. D. Thoreau)

Rien ne fait tant de bien que de faire du bien.
(Legouvé)

Le meilleur remède à sa propre tristesse ; se lancer à la poursuite de la tristesse des autres pour la soulager.
(Abbé Pierre)

Donne-moi un conseil, dit un garçon berger à son père. Le père dit : « Sois doux, mais pas au point que le loup puisse s'enhardir. »
(M. Saadi)

Le seul moyen d'obliger les hommes à dire du bien de nous, c'est d'en faire.
(Voltaire)

Le bien est plus intéressant que le mal parce qu'il est plus difficile.
(P. Claudel)

Ne vaut-il pas mieux encore faire des ingrats que de manquer à faire le bien ?
(D. Diderot)

Quand on dit qu'on a été bon, c'est qu'on n'a pas été assez bon.
(F. Mallet)

Les paroles de bienveillance peuvent être brèves, mais leur écho résonne à l'infini.
(Mère Teresa)

On a toujours besoin de quelqu'un qui a besoin de nous.
(É. Ajar)

C'est proprement ne valoir rien que de n'être utile à personne.
(R. Descartes)

Un homme se plaignit auprès d'un sage du fait que quelqu'un critiquait injustement ses activités. Le sage répondit : « Fais-lui honte par ta bonté. »
(M. Saadi)

Quand il y a à manger pour huit, il y en a pour dix.
(Molière)

# CARACTÈRE

**Aux yeux de l'homme ordinaire,
tout ce qui lui arrive est soit une bénédiction,
soit une calamité. Pour le guerrier,
chaque situation est un défi.
(C. Castaneda)**

La volonté c'est ce qu'un homme utilise pour gagner une bataille qu'il aurait normalement dû perdre.

Ce que vous êtes est ce que vous avez été. Ce que vous serez est ce que vous faites maintenant.
(Bouddha)

Ne dis pas que la réalité est mauvaise quand c'est toi qui tu montres médiocre.
(F. Garagnon)

Quiconque n'est pas maître de soi, est fait pour être esclave des autres.
(M. de Robespierre)

Avant de s'agrandir au-dehors, il faut s'affermir au-dedans.
(V. Hugo)

L'honneur n'est qu'un nom poli donné à notre orgueil.

Nous ne pouvons empêcher certains événements d'arriver, mais nous pouvons dominer nos réactions. Face à ces événements, nous équilibrer et vaquer au gré des intempéries.
(K. T. Hurst)

L'essentiel est d'être ce que nous fit la nature ; on est toujours trop ce que les hommes veulent que l'on soit.
(J.-J. Rousseau)

Un grand homme, est celui qui ne perd jamais son cœur d'enfant.
(Mencius)

Le plus sûr moyen de corrompre un individu, c'est de lui apprendre à accorder plus d'estime à ceux qui pensent comme lui, qu'à celui qui pense autrement.
(F. Nietzsche)

Les hommes ne trouvent dans leurs berceaux ni la noblesse du cœur, ni la sainteté, ni le génie ; ils doivent donc les acquérir.
(A. Malraux)

Gardons-nous d'attacher de l'importance aux petites contrariétés que nous ne pouvons éviter ; à force d'être ennuyé, on finit par devenir ennuyeux soi-même.

Vaut mieux être un homme mécontent qu'un pourceau satisfait.
(J. Stuart Mill)

Préoccupez-vous davantage de votre caractère que de votre réputation, car votre caractère représente ce que vous êtes vraiment, tandis que votre réputation n'est que ce que les autres pensent de vous.
(J. Wooden)

Que dit ta conscience ? Tu dois devenir ce que tu es.
(F. Nietzsche)

Pour bien régler sa conduite, il ne faut qu'éviter ce que nous blâmons chez les autres.
(Thalès)

L'inexprimable est souvent la meilleure partie de nous-même.
(S. Van De Weyer)

La valeur d'un homme réside, non dans ce qu'il a, mais dans ce qu'il est.
(O. Wilde)

Trois choses donnent la mesure de l'homme : la richesse, le pouvoir et l'adversité.
(Proverbe chinois)

Vaincre la colère, c'est triompher de son plus grand ennemi.
(P. Syrus)

Le chien reste un chien, même s'il est élevé parmi les lions.
(Proverbe libanais)

Ne pouvant régler les événements, je me règle moi-même.
(M. de Montaigne)

Quand le caractère d'un homme te semble indéchiffrable, regarde ses amis.
(Proverbe japonais)

Nous sentons l'influence des personnes de grande qualité lorsque nous ne sommes plus en leur présence.
(R. W. Emerson)

# *CHARITÉ*

**Tant que nous ne voyons pas Dieu dans
les autres, nous n'avons rien
compris à la charité.**
**(G. Comtois)**

Qui donne ne doit jamais s'en souvenir, qui reçoit ne
doit jamais l'oublier.
(Proverbe juif)

Le plus misérable c'est celui qui croit faire le grand seigneur quand il se penche sur les misérables.
(E. Wiechert)

Quand tu donnes, tu perçois plus que tu ne donnes,
car tu n'étais rien, et tu deviens.
(A. de Saint-Exupéry)

Aucune joie n'égale celle de servir autrui.
(S. Sai Baba)

Ta générosité est ta fortune.
(J.-P. Schneider)

Nos gestes d'assistance rendent les hommes encore plus assistés sauf s'ils sont accompagnés d'actes destinés à extirper la racine de la pauvreté.
(D. Lapierre)

Dès qu'il s'agit d'aider et de rendre service, il faut songer que la vie est courte et qu'il n'y a pas de temps à perdre.
(Voltaire)

Ce que l'on garde flétrit, ce que l'on donne fleurit.

La charité couvre toutes les fautes.
(Salomon)

En matière de charité, il faut fermer la bouche et ouvrir le cœur.
(G. Bouchet)

Ce que j'ai dépensé, je l'ai eu ; ce que j'ai donné, je l'ai.
(Proverbe médiéval)

On ne meurt jamais pauvre quand on a passé sa vie à remplir le cœur des autres.
(F. Gervais)

Évalue ta richesse à l'importance de ce que tu donnes.
(G. Duhamel)

# CHEF

Si tu cries : « Suivez-moi » et si un
de tes hommes te pose alors la question :
« Te suivre où ? » c'est que tu n'es pas un chef.
(T. Maulnier)

Agissez suivant votre conscience car de toute façon en
tant que chef vous serez critiqué.
(D. Carnegie)

Les vrais guides de l'humanité ne sont pas les domina-
teurs par la force, mais les serviteurs par le dévouement.
(L. Pasteur)

Seul celui qui aime les autres autant que lui-même est
digne de les gouverner.
(Lao Tseu)

Le devoir d'un chef n'est pas seulement de songer à la
victoire, mais de savoir aussi quand il faut y renoncer.
(Polybe)

Faire une confiance illimitée dans un créneau limité.
C'est le secret des bons chefs.
(F. Garagnon)

L'exemple est le plus éloquent des discours.
(Proverbe français)

Un chef c'est un homme qui a besoin des autres.
(P. Valéry)

Gouverner, c'est prévoir.
(É. de Girardin)

Le premier devoir d'un chef, c'est de savoir supporter la haine.
(Sénèque)

Aimez ceux que vous commandez. Mais sans le leur dire.
(A. de Saint-Exupéry)

Marcher devant le troupeau ne signifie jamais qu'on cesse d'en faire partie.
(M. Druon)

# CŒUR

**L'esprit a beau faire plus de chemin
que le cœur, il ne va jamais aussi loin.
(Proverbe chinois)**

Si tu ne peux construire une ville, construis un cœur.
(Proverbe kurde)

Dieu n'écoute pas notre voix, il écoute notre cœur.
(Saint Cyprien)

Quand le cœur est bon, tout peut se corriger.
(Gresset)

Le fond du cœur est plus loin que le bout du monde.
(Proverbe chinois)

Plus le cœur grossit, moins les paroles sont utiles.
(Proverbe chinois)

Qui connaît son cœur se méfie de ses yeux.
(Proverbe chinois)

Rien ressentir me coupe de la joie de vivre aussi bien que de la douleur.
(R. Lerner)

Si le cœur ne contemple pas, l'œil ne verra pas.
(Proverbe caucasien)

La raison ne m'a rien appris ; tout ce que je sais m'a été donné, révélé par le cœur.
(Tolstoï)

Les vrais chemins sont ceux du cœur, pas ceux du monde.
(H. Gougaud)

Les êtres sensibles sont à la fois plus heureux et plus malheureux que les autres.
(C. Lispector)

Le mental crée l'abîme, le cœur le franchit.
(Un maître)

Son cœur et lui devinrent de grands amis, incapables désormais de se trahir l'un l'autre.
(P. Coelho)

Le but de la vie, c'est d'augmenter la chaleur du cœur. Pensez aux autres. Servez les autres de façon sincère, sans tricher.
(Dalaï-Lama)

Quelque bonne que soit la tête, elle ne peut presque rien contre le cœur.
(M. de Scudéry)

Veille sur ton cœur car de lui jaillissent les sources de la vie.

Le cœur de l'homme est comme la meule d'un moulin. Jetez-y du blé, vous aurez de la farine ; jetez-y des pierres, vous aurez du gravier.
(M$^{gr}$ F. Sheen)

Dans les choses où le cœur n'est plus, la main n'est jamais puissante.
(J. Barbey d'Aurevilly)

L'éloquence et l'inspiration viennent du cœur et non pas du cerveau.

Faute d'en connaître les clés, ils laisseront pourrir des trésors.
(A. de Saint-Exupéry)

# COMBAT

**Plus que du sabre,
il faut se méfier du courage du guerrier.
(P. Ohl)**

Si j'avance, suivez-moi ; si je meurs, vengez-moi ; si je
recule, tuez-moi.
(H. de la Rochejaquelein)

Si tu n'es pas assez fort pour te défendre, évite de jouer
dans la cour des grands.
(F. Garagnon)

Recherchez le guerrier et laissez-le lutter à travers vous.
(M. Collins)

Il n'y a que ceux qui sont dans les batailles qui les gagnent.
(Saint Justin)

L'homme bien préparé au combat a vaincu à demi.
(M. de Cervantès)

Soyons des sacrificateurs, non des bouchers.
(W. Shakespeare)

Stratégie vaut mieux que témérité.
(Confucius)

Il n'y a que les causes perdues qui vaillent la peine d'être défendues.

La sérénité peut être une arme aussi bien qu'un bouclier.
(Yi king)

Il faut être prêt à perdre. Personne ne gagne tout le temps.
(A. el-Sadate)

Et s'il faut un jour me battre, n'importe quel jour en vaut un autre pour mourir.
(P. Coelho)

Et si je dois périr, je périrai.
(Esther)

Une arme est défensive quand on est derrière elle et offensive quand on est devant.
(L. B. Pearson)

L'une des grandes sagesses de l'art militaire, c'est de ne pas pousser son ennemi au désespoir.
(M. de Montaigne)

Rien, sinon une défaite, n'est plus mélancolique qu'une victoire.
(Duc de Wellington)

Pour gagner, il faut se lancer dans la bataille.

Le meilleur soldat n'attaque pas. Le combattant l'emporte sans violence. Les plus grands conquérants gagnent sans lutter.
(Tao tö king)

Le plus grand péril se trouve au moment de la victoire.
(N. Bonaparte)

En temps de paix le guerrier s'en prend à lui-même.
(F. Nietzsche)

Dieu a donné des armes à tout ce qui existe.
(Philonide)

Il y a des occasions où il vaut mieux perdre que gagner.
(Plaute)

Celui qui pourchasse un autre n'a lui-même aucun repos.
(Proverbe suédois)

Quand la guerre est nécessaire, la guerre est juste.
(Tite-Live)

Qui ne sait tendre les pièges ne sait les éviter.
(P. Syrus)

Le sang est la sueur des héros.
(S. G. Champion)

La pire des défaites, c'est celle d'avoir refusé le combat.
(G. d'Aboville)

Le guerrier qui cultive son esprit polit ses armes.
(Chevalier de Boufflers)

Les vraies victoires sont celles que l'on remporte sans verser de sang.
(Pittacos)

Il vaut mieux avoir vécu vingt-cinq jours comme un tigre qu'un millier d'années comme un mouton.

# COMMUNICATION

**Tu n'apprendras jamais à parler aux animaux ;
il vaut mieux que tu apprennes
le silence des animaux.
(Saadi)**

Mieux vaut mourir incompris que de passer toute sa
vie à s'expliquer.
(W. Shakespeare)

C'est notre sort à tous que de n'être pas compris.
(J. W. Goethe)

Les plus grandes choses n'ont besoin que d'être dites
simplement.
(J. de la Bruyère)

Le mot que tu retiens entre tes lèvres est ton esclave,
celui que tu prononces est ton maître.
(Proverbe arabe)

Un point de vue est aussi une façon de ne pas voir.
(G. F. Pogge)

Avec des mots un homme peut rendre ses semblables heureux ou les pousser au désespoir.
(S. Freud)

Lorsque vous ne savez plus quoi dire, dites merci.

Je n'ai goût à écrire que ce qui m'apprend quelque chose à moi-même.
(P. Valéry)

Entre deux individus, l'harmonie n'est jamais donnée. Elle doit indéfiniment se conquérir.
(S. de Beauvoir)

Il y a des choses que les mots ne peuvent pas expliquer.
(J. Fowles)

Dis ce que tu as à dire, si on ne t'écoute pas tu ne peux être blâmé.
(M. Saadi)

Si je peux apprendre à déchiffrer ce langage qui se passe des mots, je parviendrai à déchiffrer le monde.
(P. Coelho)

Le monde des symboles est celui du langage divin par excellence.
(F. Skali)

Dis les choses qui sont à dire, non les choses que tu aimes dire.
(M. Delbrêl)

━━━━━━

On gagne toujours à taire ce qu'on n'est pas obligé de dire.
(Proverbe chinois)

━━━━━━

Les mots peuvent ressembler au rayon-X si l'on s'en sert convenablement, ils transpercent n'importe quoi.
(A. Huxley)

━━━━━━

La bonne compagnie instruit par sa conversation et forme par son silence.
(J. W. Goethe)

━━━━━━

Abrège ton discours, beaucoup de choses en peu de mots, sois comme un être qui a la science et qui sait se taire.
(L'Ecclésiaste)

━━━━━━

Ce qui est bref et bon est deux fois bon.
(B. Gratian)

━━━━━━

Le but de la discussion ne doit pas être la victoire, mais l'amélioration.
(J. Joubert)

━━━━━━

Ce ne sont pas ceux qui savent le mieux parler qui ont les meilleures choses à dire.
(Proverbe chinois)

━━━━━━

Tout écouter, oublier beaucoup, corriger peu.
(Jean XXIII)

Personne ne montre autant son ignorance qu'une personne qui en interrompt une autre avant qu'elle ait
fini de dire ce qu'elle a à dire.
(M. Saadi)

Il faut savoir parler aux gens dans la mesure de leur
compréhension.
(M. Saadi)

Réponds intelligemment, même quand on te traite
inintelligemment.
(Lao Tseu)

Sois prompt à écouter, et lent à donner une réponse.
(B. Sira)

Ce que l'on conçoit bien s'énonce clairement et les
mots pour le dire arrivent aisément.
(N. Boileau)

Je me suis repenti d'avoir parlé, mais jamais de n'avoir
pas parlé.
(P. de Commynes)

Ne donnez pas d'explication, les amis vous comprennent et les ennemis ne vous croient pas.
(E. Hubbard)

On a bouleversé la terre avec des mots.
(A. de Musset)

⸙

Qui se sait profond tend vers la clarté ; qui veut le paraître, vers l'obscurité ; car la foule tient pour profond
tout ce dont elle ne peut voir le fond.
(F. Nietzsche)

⸙

Écarte-toi des lieux où l'on parle trop fort ou trop bas.
(J. H. Pestalozzi)

⸙

C'est avoir deux fois raisons que de céder à quelqu'un
qui a tort.
(J. Petit-Senn)

⸙

Celui qui ne peut se taire ne sait pas parler.
(Pittacos)

⸙

On peut parler beaucoup et ne rien dire, mais il suffit
d'un mot pour parler trop.
(T. Chantrier)

⸙

Je veux qu'on soit sincère, et qu'en homme d'honneur,
on ne lâche aucun mot qui ne parte du cœur.
(Molière)

⸙

Une excellente façon de communiquer l'enthousiasme
consiste à se montrer plus vivant, à mettre de la vie
dans ses sourires, ses poignées de mains, sa façon de
parler et de marcher.

⸙

# CONFIANCE

**Ce que j'aurai perdu en faisant confiance
aux autres peut se calculer ;
mais ce que j'ai « gagné »
par le même moyen est inestimable.
(G. Cesbron)**

En ne faisant pas confiance aux autres, nous les rendons indignes de notre confiance.
(Lao Tseu)

On ne croit qu'en ceux qui croient en eux.
(C. M. de Talleyrand)

Si c'est possible, c'est fait ; si c'est impossible, cela se fera.
(C. A. de Calonne)

On ne s'égare jamais si loin que lorsqu'on croit connaître la route.
(Proverbe chinois)

Arrache ces mauvaises herbes du doute, de la peur et de l'incertitude afin qu'elles ne puissent pas étouffer le beau jardin au fond de toi, et que tout le meilleur puisse croître dans une liberté et une perfection véritable.
(E. Caddy)

# CONNAISSANCE

**Avec la connaissance vient la responsabilité.
Parfois lorsque la porte de la cellule s'ouvre,
le prisonnier choisit de ne pas s'évader.
(S. Rinpoché)**

Le savoir que l'on ne complète pas tous les jours, diminue tous les jours.
(Proverbe chinois)

En période de changement, le monde appartient à ceux
qui savent apprendre. Ceux qui « savent », eux, connaissent tout d'un monde qui n'existe plus.
(E. Hoffer)

Quelque chose que nous dissimulions nous a rendus
faibles. Jusqu'à ce que nous découvrions que c'était
nous-mêmes.
(R. Frost)

On se met en peine de savoir comment est fait le monde
et l'on ne s'inquiète pas comment on est fait soi-même.
(Démonax)

Les gens voyagent et s'émerveillent de la hauteur des montagnes, de la vastitude des océans, du mouvement des étoiles ; et ils passent à côté d'eux-mêmes et des autres sans même se regarder.
(Saint Augustin)

L'apparence des choses est facile à voir ; mais leur principe est difficile à connaître.
(Wou De Leang)

La connaissance est le début de l'action ; l'action est l'accomplissement de la connaissance.
(Wang-Yang-Ming)

On nous a tout appris... sauf à vivre.

Tu es comme tous les autres. Tu sais déjà tout ça, mais tu n'as pas encore conscience de le savoir, c'est tout.
(R. Bach)

Nous avons peur et soif de devenir nous-mêmes.
(M. Ferguson)

Nos tasses débordent, nous savons tant de choses que nous ne comprenons rien.
(S. Levine)

On ne connaît que ce que l'on est.
(A. Desjardins)

Vos acquis, c'est souvent la somme de ce qu'il vous faut désapprendre.
(A. Maurois)

Qui ignore ce qu'il est, s'inquiète de ce qu'il va devenir.
(Aryadeva)

Une connaissance ne peut être comprise à moins qu'il y ait un développement d'êtres correspondants.
(M. Nicoll)

Je ne m'affligerai pas de voir que les hommes me connaissent mal ; je m'affligerai de mal les connaître.
(Confucius)

Nous ne connaissons à priori des choses que ce que nous y mettons nous-mêmes.
(E. Kant)

Savoir par cœur n'est pas savoir.
(M. de Montaigne)

Mieux vaut comprendre peu que comprendre mal.
(A. France)

Comprendre est le commencement d'approuver.
(B. Spinoza)

Qui parle sème, qui écoute récolte.
(Proverbe perse)

La personne éduquée est celle qui sait où trouver ce qu'elle ignore.
(G. Simmel)

⸎

Prends garde à l'homme d'un seul livre.
(Proverbe latin)

⸎

Qui sait le plus doute le plus.
(Proverbe latin)

⸎

Le savoir-faire vaut mieux que le savoir.
(P. A. de Beaumarchais)

⸎

Nous ne connaissons bien que ce dont nous sommes dépouillés.
(F. Mauriac)

⸎

Il faut se contenter de découvrir, mais se garder d'expliquer.
(G. Braque)

⸎

Je sens que je progresse à ceci quand je commence à ne rien comprendre à rien.
(C. F. Ramuz)

⸎

Il n'y a d'autre savoir que de savoir qu'on ne sait rien, mais on ne le sait qu'après avoir tout compris.
(M. Chapelan)

⸎

C'est déjà un grand savoir que de savoir s'orienter dans le dédale de ses ignorances.
(P. Dehaye)

Attendre d'en savoir assez pour agir en toute lumière, c'est se condamner à l'inaction.
(J. Rostand)

Se cultiver, c'est devenir ce qu'on est.
(C. Péguy)

Les jouissances de l'esprit calment les orages du cœur.
(G. de Staël)

Rappelez-vous bien, mes enfants, qu'il n'existe rien de constant si ce n'est le changement.
(Bouddha)

Chaque fois que naît une valeur, l'existence prend un nouveau sens ; chaque fois que meurt une valeur, une partie de ce sens disparaît à jamais.
(J. W. Krutch)

Un bateau est utile pour franchir une rivière, mais une fois la traversée effectuée, il n'est pas nécessaire de poursuivre sa route en emportant le bateau sur ses épaules.
(Swami Shankarananda-Giri)

Celui qui ne sait rien n'aime rien. Celui qui n'est capable de rien ne comprend rien.
(T. Paracelse)

# CONSEIL

**Suis le conseil de celui qui te fait pleurer
et non de celui qui te faire rire.
(Proverbe arabe)**

La seule autorité légitime qu'un homme puisse exercer sur les autres est celle du bon exemple.
(T. Vero)

Celui qui ne prend pas conseil auprès de l'invisible dans le silence, celui-là ne produira jamais rien de réel dans le domaine du visible.
(T. Carlyle)

Aimez qui vous résiste et croyez qui vous blâme.
(C. Delavigne)

Il ne faut jamais donner aux gens des conseils incompatibles avec leur tempérament.
(J. Dutourd)

Quand le chariot est brisé, beaucoup de gens vous diront par où il ne fallait pas passer.
(Proverbe chinois)

N'enlevez à personne des opinions qui le rendent heureux, si vous ne pouvez pas lui en donner de meilleures.
(J. K. Lavater)

Pour ne pas perdre ses illusions, le mieux c'est d'en avoir le moins possible.
(A. Boudard)

# CORPS

**La santé est le trésor le plus précieux
et le plus facile à perdre ;
c'est cependant le plus mal gardé.
(C. de Beauchêne)**

Un corps sain est un hôte, un corps maladif est un geôlier.
(F. Bacon)

Notre corps ne nous appartient pas. Tant qu'il dure, nous devons nous en servir comme d'une chose qui nous a été confiée et dont nous sommes responsables.
(M. K. Gandhi)

Celui qui ne sent pas ce qui se passe dans son corps a perdu le contact avec lui-même.
(A. Lowen)

Être joli, ce n'est pas l'essentiel. C'est comme le papier autour du cadeau.
(J. Fowles)

S'il y a un diamant dans la poitrine, il brille sur le visage.
(Proverbe sanscrit)

Le rire fait exploser l'émotion ; les larmes la font couler doucement.
(A. Koestler)

Un corps ne vaut que par l'esprit qui le vivifie.
(G. Barbarin)

Le corps n'est que le reflet de l'âme. Il est sage de veiller à son régime alimentaire et de prendre de l'exercice.
(E. Fox)

Il faut entretenir la vigueur du corps pour conserver celle de l'esprit.
(L. de Vauvenargues)

Le secret pour avoir de la santé est que le corps soit agité et que l'esprit se repose.
(V. Voiture)

Manger est un besoin de l'estomac ; boire est un besoin de l'âme.
(C. Tillier)

Le sport consiste à déléguer au corps quelques-unes des vertus les plus fortes de l'âme : l'énergie, l'audace, la patiente. C'est le contraire de la maladie.
(J. Giraudoux)

# COURAGE

**Seul le courageux s'abandonne
suffisamment pour recevoir
tout ce que l'univers a à offrir.
(H. Trevind)**

L'épreuve du courage n'est pas de mourir, mais de vivre.
(V. Alfieri)

Une quête commence toujours par la chance du débutant. Et s'achève toujours par l'épreuve du conquérant.
(P. Coelho)

Il faut avoir le courage d'entrer dans les vagues dangereuses qui terrifient les hommes, pour trouver le poisson exceptionnel.
(Ingen Zenji)

Abandonnez ceux qui s'abandonnent eux-mêmes.
(W. Shakespeare)

Il faut savoir ce que l'on veut. Quand on le sait, il faut avoir le courage de le dire ; quand on le dit, il faut avoir le courage de le faire.
(G. Clémenceau)

Si tu dois être chien, sois chien de samouraï.
(Proverbe japonais)

Gémir sur un malheur passé, c'est le plus sûr moyen
d'en attirer un autre.
(W. Shakespeare)

Où serait le mérite, si les héros n'avaient jamais peur ?
(A. Daudet)

La gaieté est la forme la plus aimable du courage.
(A. France)

Le courage c'est le fait d'admettre : « Je suis seul responsable de mon existence et de mon évolution. »
(M. Naslednikov)

Il te faudra beaucoup de courage, à commencer par
celui d'être incompris par ton entourage.
(Proverbe chinois)

À un certain moment, l'abandon est une plus grande
force que la volonté.
(Proverbe indien)

Le courage n'est pas l'absence de prudence.

Commencer appartient à tous, persévérer à bien peu.
(Maxime castillane)

Ce n'est pas ce que l'on supporte, mais la manière de le supporter qui est important.

Notre corps est notre jardin, la volonté, son jardinier.
(W. Shakespeare)

Pas de chevalier sans prouesse.
(H. Estienne)

Il n'est point de bonheur sans liberté, ni de liberté sans courage.
(Périclès)

Le timide a peur avant le danger, le lâche, au milieu du danger, le courageux, après le danger.
(J.-P. Richter)

Supporte sans te plaindre ce qui ne peut être changé.
(P. Syrus)

Il y a courage et courage, celui du tigre et celui du cheval.
(R. W. Emerson)

On ne peut garantir de son courage tant que l'on n'a pas été dans le péril.
(F. de La Rochefoucauld)

C'est dans les grands dangers qu'on voit un grand courage.
(J.-F. Regnard)

Tout homme qui est un vrai homme doit apprendre à rester seul au milieu de tous, à penser seul pour tous et au besoin contre tous.
(R. Rolland)

Salut empereur, ceux qui vont mourir te saluent !
(À César)

Le dévouement quotidien est souvent de l'héroïsme méconnu.

Ce qu'il nous faut, ce n'est pas une vie heureuse, mais une vie héroïque.
(A. Schopenhauer)

# CRAINTE

**La peur est le premier des ennemis naturels
que l'homme ait à vaincre
sur son chemin vers la connaissance.
(C. Castaneda)**

Un homme qui souffre avant le temps souffre plus que
nécessaire.
(Sénèque)

J'ai survécu à bien des catastrophes qui n'ont jamais
eu lieu.
(M. Twain)

Contre la peur, un seul remède : le courage.
(L. Pauwels)

Ce que l'homme redoute le plus, c'est ce qui lui
convient.
(H. F. Amiel)

Les fleurs disparaissent quand nous craignons de les
perdre, les mauvaises herbes apparaissent lorsque nous
craignons de les voir croître.
(T. Eicho)

Ce sont les gens faibles, prompts à s'effrayer qui sont dangereux. Ceux-là peuvent vous tomber dessus à la moindre provocation.
(D. Lapierre)

La peur n'est jamais dans le danger, elle est en nous.
(Stendhal)

La peur n'a de force que tant que vous l'évitez. Plus grande est votre répugnance à voir la peur, à l'accepter et à l'embrasser, plus vous lui permettez d'être puissante.
(Le livre d'Emmanuel)

Quand la crainte ne veille pas, il arrive ce qui était à craindre.
(Lao Tseu)

Les coups de tonnerre épouvantant les enfants et les menaces font trembler les esprits faibles.
(Démophile)

La forme la plus déplaisante de la peur se traduit par l'agressivité.
(F. Bac)

Tous les hommes ont peur. Tous. Celui qui n'a pas peur n'est pas normal ; ça n'a rien à voir avec le courage.
(J.-P. Sartre)

# DÉCISION

**On ne peut admirer en même temps
la lune, la neige et les fleurs.
(Proverbe japonais)**

Vous êtes la somme de vos choix.
(D. W. Dyer)

Tu dois décider de ce que tu veux faire, et puis t'y mettre, et tu verras que tu en as parfaitement le temps.
(F. Garagnon)

C'est dans l'arène que le gladiateur prend sa décision.
(Sénèque)

Votre vie est le miroir de vos décisions.

Ne confondez pas réflexion et hésitation.
(Yi king)

La compétence consiste à bien faire les choses. L'efficacité consiste à faire les bonnes choses.
(Z. Ziglar)

Il est trop tard pour délibérer quand l'ennemi est aux portes.
(Virgile)

C'est encore accorder quelque chose que de refuser avec grâce.
(P. Syrus)

C'est dans les moments de décision que notre destin prend forme.
(A. Robbins)

Tout vous viendra en chemin. Faites d'abord le premier pas.
(N. Maharaj)

# *DÉFAUT*

**Qui veut se corriger de l'ivrognerie,
qu'il considère un homme ivre.
(Proverbe chinois)**

Il n'appartient qu'aux grands d'avoir de grands défauts.
(F. de La Rochefoucauld)

Être en colère, c'est se venger des erreurs des autres sur
soi-même.
(A. Pope)

L'homme qui révise ses défauts intensifie ses qualités.
(Yi king)

Être jaloux, c'est admettre que l'on est sous le pouvoir
de quelqu'un.
(N. Friday)

Il ne faut pas confondre perfectionnisme et insatisfac-
tion permanente.

Ce ne sont pas les mauvaises herbes qui étouffent le
bon grain, c'est la négligence du cultivateur.
(Confucius)

Pourquoi traquer les autres dans leurs défauts mineurs quand tu fais preuve d'une si grande tolérance vis-à-vis de toi-même ?
(F. Garagnon)

N'appelle pas chez le voisin susceptibilité ce que tu appelles chez toi sensibilité.
(M. Delbrêl)

Il était comme le coq qui croyait que le soleil s'était levé pour l'entendre chanter.
(G. Eliot)

Celui qui ne sait pas se fâcher est un sot, mais celui qui ne veut pas se fâcher est un sage.
(Proverbe chinois)

Bacchus a noyé plus de marins que Neptune.
(T. Fuller)

C'est un signe de médiocrité que d'être incapable d'enthousiasme.
(H. de Balzac)

# *DÉSIR*

**Quand tu veux vraiment quelque chose,
tout l'univers conspire à te permettre
de réaliser ton désir.
(P. Coelho)**

Celui qui vit au gré de ses désirs, devient de jour en jour plus faible.
(Proverbe chinois)

Il ne faut pas tuer nos inclinaisons, il faut les transformer. Tuer un désir, c'est créer le vide et l'ennui ; le sublimer, c'est le changer en joie. Le renoncement véritable n'implique aucune douleur.

Mets tes désirs en cage, sinon ils te dévoreront.
(F. Garagnon)

À force de renoncements, on acquiert la force nécessaire à de grandes tâches.
(Yi king)

Celui qui nourrit exclusivement les parties viles de son corps, est vil ; et celui qui en nourrit les parties nobles, est noble.
(Yi king)

Soyez précis : les désirs vagues voient rarement la lumière du jour.
(B. Adams)

Ne souhaite pas autre chose que ce que tu as.
(J.-L. Curtis)

Plus vous augmentez la quantité des petites convoitises, moins vous fréquentez vos profondeurs.
(A. Sève)

Chacun ne doit regarder que ce qui est à lui.
(Hérodote)

Quel est le plus grand héros ? Celui qui est maître de ses désirs.
(Bhartrihari)

Si l'homme réalisait la moitié de ses désirs, il doublerait ses peines.
(B. Franklin)

Que celui qui a assez ne souhaite rien de plus.
(Horace)

Rien ne suffit à qui considère comme peu ce qui est suffisant.
(Épicure)

Le repos de l'âme consiste à ne rien espérer.
(Proverbe arabe)

# DESTIN

**Ce que nous évitons de reconnaître
en nous-mêmes, nous le rencontrons
plus tard sous la forme du destin.**
**(C. G. Jung)**

Ne dis pas : « Cela n'arrive qu'à moi. » Demande-toi plutôt pourquoi tu te jettes toujours dans les mêmes situations...

On ne fait pas ce qu'on veut mais on est responsable de ce qu'on est.
(J.-P. Sartre)

C'est seulement lorsque l'homme affronte résolument son destin qu'il peut en venir à bout.
(Yi king)

On parle du destin, comme s'il s'agissait d'un châtiment imposé, oubliant que c'est nous qui créons notre destin, chaque jour de notre vie.
(H. Miller)

Notre destin est de créer notre destin.
(A. Toffler)

Être fataliste, c'est attendre que les choses se décident pour se décider...

***

Il est inutile de vouloir devancer ou fuir son destin, car il nous attend à cet endroit même, où, de tout temps, il a été décidé que nous devions le rencontrer.
(M. Brion)

***

N'attends pas de la Providence qu'elle fasse à ta place ce que tu dois faire.
(F. Garagnon)

***

La chance arrive quand on s'est préparé à saisir l'occasion.
(A. Robbins)

***

L'homme n'est pas l'œuvre des circonstances. Les circonstances sont l'œuvre de l'homme.
(B. Disraeli)

***

Souviens-toi que tu es comme un acteur dans le rôle que l'auteur t'a confié ; court, s'il est court ; long, s'il est long. Il dépend de toi de bien jouer ton rôle, mais non de le choisir.
(Épictète)

***

Si la chance veut venir à toi, tu la conduiras avec un cheveu ; mais si la chance veut partir, elle rompra une chaîne.
(Proverbe berbère)

***

Ce qui ne peut être évité, il faut l'embrasser.
(W. Shakespeare)

Le moyen de s'ennuyer est de savoir où l'on va et par où l'on passe.
(H. Taine)

Songez à ce que vous avez été, à ce que vous êtes et à ce que vous serez un jour, et vous deviendrez humble.
(Saint Vincent de Paul)

Si Dieu a prédestiné quelqu'un à mourir dans un lieu, il crée dans le cœur de cet homme le besoin de s'y rendre.
(Proverbe arabe)

Hier encore, je marchais au hasard sur la terre, et des milliers de chemins fuyaient sous mes pas, car ils appartenaient à d'autres... Aujourd'hui il n'y en a qu'un, et Dieu sait où il mène ; mais c'est mon chemin.
(J.-P. Sartre)

Pour les faibles, les circonstances sont la règle de la vie ; pour le sage, ce sont des instruments.
(W. Shakespeare)

# DEVOIR

**Chacun est seul. Responsable de tous.**
**(A. de Saint-Exupéry)**

Le devoir est plus léger qu'une plume et plus lourd qu'une montagne.
(Mutsu-Hito)

Puisque notre destin est de passer notre vie dans la prison de notre esprit, notre seul devoir est de bien le meubler.
(P. Ustinov)

D'autres ont planté ce que je mange ; je plante ce que d'autres mangeront.

Nous n'héritons pas de la terre de nos ancêtres. Nous l'empruntons à nos enfants.
(A. de Saint-Exupéry)

Ta seule obligation, en n'importe quelle vie, est d'être vrai envers toi-même.
(R. Bach)

L'important, ce n'est pas d'avoir un bon jeu, c'est de bien jouer celui qu'on a !
(J.-G. Leboeuf)

Votre devoir est d'être, et non de faire ceci et cela.
(R. Maharshi)

Tu deviens responsable pour toujours de ce que tu as apprivoisé.
(A. de Saint-Exupéry)

On n'a jamais fini de faire son devoir.
(Touchard)

Va où tu veux, meurs où tu dois.

Le chemin du devoir est toujours proche, mais nous le cherchons loin de nous.
(Proverbe chinois)

Qui fait toujours ce qu'il veut fait rarement ce qu'il doit.
(A. Oxenstierna)

Le devoir de tout être humain, c'est de faire la preuve que le monde n'est pas sans raison.
(Abbé Pierre)

Celui qui fait tout ce qu'il veut fait rarement ce qu'il doit.
(A.-H. de Beauchesne)

# DIEU

Souviens-toi que si tu tiens debout,
c'est qu'une main invisible te soutient.
(M. Saadi)

Celui qui laisse Dieu hors de ses comptes ne sait pas compter.
(Proverbe italien)

Dieu est rusé, mais il n'est pas méchant.
(A. Einstein)

Ce n'est pas ce qu'on donne à Dieu qui coûte, c'est ce qu'on lui refuse.
(J. Baeteman)

Dans l'océan de l'amour divin, chacun puise avec le vase qu'il apporte.
(Saint Jean de la Croix)

Dieu est la vérité cosmique ; ne l'enfermons pas dans une vision étroite.

Dieu est au-delà du langage, du savoir, du concept. Immobile, en silence, là seulement se fait entendre la voix de Dieu. Il nous faut séparer le Dieu qui a été imaginé par les hommes du vrai Dieu.
(Proverbe indien)

La connaissance de Dieu passe par la connaissance de soi, car Dieu est caché en nous.

Depuis que Dieu s'est fait homme, tout homme peut se faire Dieu.
(R. Rolland)

Mon ami, je n'ai jamais vu que Dieu intervient directement dans nos affaires terrestres. Dieu se délègue. Il n'agit qu'à travers nous.
(M. Yourcenar)

Les choses du ciel sont plus ou moins vues en fonction des choses de la terre. Le Dieu des cannibales est un cannibale.
(R. W. Emerson)

Dieu est une parole à l'extrémité du silence.

Nous créons Dieu nous-mêmes, tout au fond de nous-mêmes ; sans nous, peut-être que Dieu n'existerait pas.
(A. Silesius)

Je vous conseille de chercher Dieu au point exact où vous l'avez perdu.
(Maître Eckhart)

Nous sommes fait pour Dieu, et notre cœur demeure inquiet et troublé tant qu'il ne se repose pas en lui.
(D. A. Guillerand)

Dieu aussi a son enfer ; c'est son amour des hommes.
(F. Nietzsche)

Vous cherchez Dieu ? Alors cherchez-le dans l'homme.
(Ramakrishna)

La conscience est la présence de Dieu dans l'homme.
(E. Swedenborg)

Pour avoir les dieux favorables dans l'adversité, il faut les invoquer dans la prospérité.
(Xénophon)

L'Éternel est un, mais il a beaucoup de noms.
(Veda)

Plus l'homme s'approche de Dieu et plus il le remercie.
(P. Lippert)

Quand on a longtemps regardé le monde, la vie, il n'y a pas d'autre alternative que Dieu ou le suicide.
(H. de Montherlant)

Ce serait une illusion de ne le chercher que par soi, à l'exclusion du prochain, car il nous regarde par les yeux du prochain.
(J. Green)

Le ciel est pour ceux qui y pensent.
(J. Joubert)

Ce n'est point à Dieu de descendre sur terre ; c'est à l'homme à monter au ciel.
(X. Forneret)

Dieu ne nous remplit qu'autant que nous sommes vides.
(H. de Montherlant)

Que la terre est petite à qui la voit des cieux !
(J. Delille)

La force de Dieu ne peut nous être donnée que si nous acceptons de reconnaître notre faiblesse.
(M. Lorgeou)

# DIFFICULTÉ

**Les jours obscurs, comporte-toi en homme
qui connaît la lumière.
(F. Garagnon)**

Merci à la vie qui me fait tous ces cadeaux, qui m'a
même donné le malheur pour bien me faire comprendre que nous n'avons pas tous les droits.
(A. Rubinstein)

Les maux qui dévorent les hommes sont le fruit de leur
propre choix.
(Pythagore)

Ce qui ne peut être évité doit être supporté.
(Inconnu)

Éviter la souffrance ne fait que l'augmenter.
(Krishnamurti)

L'arbre le plus haut est celui que le vent agite le plus
souvent.

Attaquez votre problème, d'obstacle, il deviendra exercice.
(M. Maziade)

Nos préoccupations doivent nous mener vers l'action, non la dépression.
(K. Horney)

Tous les déserts ont leurs oasis.
(T. Robbins)

La source de nos découragements est souvent dans notre impatience.
(E. Naville)

Rien à l'extérieur de vous-mêmes ne peut vous causer d'ennui.
(S. Suzuki)

Il n'est si beau jour qui n'amène sa nuit.
(F. R. de Chateaubriand)

Quand Dieu donne du pain dur, il donne des dents solides.
(Proverbe allemand)

# DOULEUR

**On ne grandit pas automatiquement parce que l'on souffre ; cela dépend de ce que l'on choisit de faire avec la souffrance.
(A. Marquier)**

Je me mis à comprendre que le rôle de la douleur, des déceptions et des idées noires n'est pas de nous aigrir, de nous faire perdre notre valeur et notre dignité, mais de nous mûrir et nous purifier.
(H. Hesse)

De tous les maux, les plus douloureux sont ceux que l'on s'est infligés à soi-même.
(Sophocle)

La blessure qui saigne en dedans est la plus dangereuse.
(J. Lyly)

La guérison commence dès l'instant où celui qui souffre ne trouve plus de valeur à la douleur.
(Un cours sur les miracles)

Il ne faut pas souffrir. Mais il faut prendre le risque de souffrir beaucoup.
(R. Ducharme)

La seule façon de sortir de notre souffrance est de la traverser.
(M. Ferguson)

Apprends à transformer ta misère en malheur banal.
(J. Malcolm)

Qui côtoie l'abîme découvre la pleine beauté de la lumière.
(F. Garagnon)

La souffrance est un passage vers la joie.
(A. Sève)

Prenez garde à la tristesse, c'est un vice.
(G. Flaubert)

L'homme est un apprenti, la douleur est son maître, et nul ne se connaît tant qu'il n'a pas souffert.
(A. Musset)

Lorsqu'on souffre d'une vraie douleur, comme on regrette même un faux bonheur.
(A. Salacrou)

Qui sème l'illusion récolte la douleur.
(É. Ben-Gal)

Plus le malheur est grand, plus il est grand de vivre.
(P. de Crébillon)

Ceux qui sèment dans les larmes moissonnent dans la joie.
(David)

Il est des douleurs préférables à toutes les joies.
(J. Joubert)

Il est indigne des grands cœurs de répandre le trouble qu'ils ressentent.
(D. Devaux)

Les douleurs légères s'expriment ; les grandes douleurs sont muettes.
(Sénèque)

Prends ta part de souffrances en bon soldat de Dieu.

La façon d'alléger sa souffrance est de diminuer celle d'autrui.
(P. Charles)

L'homme est responsable de la plupart des maux qui l'accablent. C'est pourquoi, lui seul peut s'en guérir.
(J. C. Cooper)

Les malheurs qui ne nous tuent pas nous grandissent.
(L. Pauwels)

C'est bien la pire peine / de ne savoir pourquoi / sans amour et sans haine / mon cœur a tant de peine.
(P. Verlaine)

C'est une loi : souffrir pour comprendre.
(Eschyle)

On ne guérit d'une souffrance qu'à condition de l'éprouver pleinement.
(M. Proust)

Il est rare que nous soyons tout à fait innocents de nos souffrances.
(J. Rostand)

# *ÉCHEC*

**Ceux qui ne font rien ne se trompent jamais.**
**(T. de Banville)**

Dans la vie, les défaites sont bien plus riches que les victoires. Elles font réfléchir, évoluer, alors que le bonheur est souvent un *statu quo*.
(B. Groult)

On commence à perdre quand on s'assoit sur ses victoires. C'est au repos que le guerrier se fait surprendre.

Plus vite vous échouez, plus vite vous réussirez.
(Maxime d'IBM)

On n'a rien fait si l'on n'a pas tout tenté...

Ce sont les échecs bien supportés qui donnent le droit de réussir.
(J. Mermoz)

Celui qui agit peut se tromper parfois, mais celui qui n'agit pas se trompe sans cesse.
(J. Alberione)

**Si tu aimes ton enfant, corrige-le ;
si tu ne l'aimes pas, donne-lui des sucreries.
(Proverbe chinois)**

Ne cherchez pas à éviter à vos enfants les difficultés de la vie ; apprenez-leur à les surmonter.
(L. Pasteur)

Un enfant est un invité dans une maison qu'on doit aimer et respecter, jamais posséder.
(J. D. Salinger)

Ce n'est pas ce que nous demandons à nos enfants d'être qui compte le plus. C'est ce que nous sommes devant eux.
(M. Champagne-Gilbert)

Les enfants doivent nous inspirer le respect. Comment savons-nous que leur avenir ne sera pas supérieur à notre présent ?
(Confucius)

Le suprême bonheur, c'est d'écouter la chanson d'une petite fille qui s'éloigne après avoir demandé son chemin.
(Li T'ai Po)

⟡

L'enfant, c'est la mémoire de la vie.
(I. Cagnati)

⟡

Il est des moments dans la vie des vos enfants où il ne vous reste plus qu'à être un spectateur saisi par l'inquiétude.
(F. Groult)

⟡

L'enfant imite ce qu'il voit, mais aussi ce qu'il sent.
(M. Ibuka)

⟡

Les enfants deviennent souvent ce que leurs parents leur disent qu'ils sont.
(Dr T. Gordon)

⟡

Si les enfants devenaient ce qu'en attendent ceux qui leur ont donné la vie, il n'y aurait que des dieux sur la terre.
(A. Poincelot)

⟡

L'enfance est un voyage oublié.
(J. de la Varende)

⟡

Les enfants d'aujourd'hui jouissent d'une si grande liberté qu'ils n'ont plus la joie de désobéir.
(J. Cocteau)

⟡

# *ENNEMI*

**On mesure la stature d'un homme par ses ennemis, non par ses amis.**

Ce n'est pas un bon signe de ne pas avoir d'ennemis.
(F. Mallet-Joris)

Méfie-toi de tes ennemis, surtout si tu les as vaincus.

En s'acharnant à lutter contre l'ennemi qu'il cherche à l'extérieur, l'homme néglige l'ennemi intérieur.
(M. K. Gandhi)

Il ne faut pas montrer à son ennemi qu'on le connaît.
(Yi king)

Notre plus grand ennemi est en nous-même et avant d'entreprendre quoi que ce soit il faut tuer cet ennemi.
(J. Dutourd)

C'est toujours celui qui a créé ses propres ennemis qui s'en plaint le plus.

Qui n'a point d'ennemis est fort à plaindre.
(Syrus)

Il n'y a pas de gros et de petits serpents, il y a des serpents.
(Proverbe indien)

Si nous pouvions lire l'histoire secrète de nos ennemis, nous y trouverions assez de peine et de souffrances pour désarmer notre hostilité.
(H. Longfellow)

N'avertis pas tes ennemis de tes pertes, afin qu'ils ne tirent pas avantage de ta situation.
(M. Saadi)

Le refus de la chauve-souris de s'associer au soleil ne diminue en rien la gloire et la splendeur du soleil.
(M. Saadi)

# ENSEIGNEMENT

**Ne pas instruire celui qui est mûr,**
**c'est gaspiller un homme ;**
**instruire celui qui n'est pas mûr,**
**c'est gaspiller des paroles.**
**(Confucius)**

Certains n'apprendront jamais rien parce qu'ils comprennent tout trop vite.
(A. Pope)

Apprenez très tôt à vos enfants que le pain des hommes est fait pour être partagé.
(P. Carré)

Je ne peux rien pour qui ne se pose pas de question.
(Confucius)

Apprendre, c'est changer. L'éducation est un processus qui change celui qui apprend.

Le bon maître est celui qui, tout en répétant l'ancien, est capable d'y trouver du nouveau.
(Confucius)

Ma vie est mon seul enseignement.
(Gandhi)

« Il prêche bien qui fait une bonne vie, disait Sancho. C'est toute la religion que je comprenne ».
(M. de Cervantès)

Dans l'éducation, il faut se contenter de suivre et d'aider la nature.
(F. Fénelon)

L'enseignement de l'araignée n'est pas pour la mouche.
(H. Michaux)

L'histoire est utile non pour y lire le passé, mais pour y lire l'avenir.
(Pananti)

Science sans conscience n'est que ruine de l'âme.
(F. Rabelais)

Tu veux comprendre une fourmi sous ton talon ? Eh bien, imagine-toi sous la patte d'un éléphant.
(M. Saadi)

On demanda à un sage de qui il avait appris les bonnes manières. Il répondit : « De ceux qui avaient de mauvaises manières. »
(M. Saadi)

La vue de l'ivrogne est la meilleure leçon de sobriété.
(Anacharsis)

L'éducation nous apprend les règles de la vie. L'expérience nous apprend les exceptions.
(M. et A. Guillois)

Il vaut mieux laisser nos vies, plutôt que nos paroles, exprimer aux autres ce que nous sommes.
(M. K. Gandhi)

# *ÉQUILIBRE*

**N'essayez jamais de démontrer que vous êtes
équilibré. Si vous l'êtes, on le saura.
(Yi king)**


Le trop de quelque chose est un manque de quelque chose.
(Proverbe arabe)

Si vous êtes heureux, ne vous élevez pas ; si vous êtes
malheureux, ne vous abattez pas.
(Périandre)

Le prodigue est un futur mendiant, l'avare est un éternel mendiant.
(Proverbe polonais)

Il faut abattre l'arbre qui donne trop ou pas assez d'ombre.
(Proverbe russe)

Les contraires s'accordent et la discordance crée la plus
belle harmonie.
(Héraclite)

Trop loin à l'est, c'est l'ouest.
(Proverbe chinois)

La vie exige à la fois la fidélité aux valeurs qui ont fait leurs preuves et le tâtonnement vers des voies nouvelles. (S. Rougier)

La vie se nourrit de différences ; l'uniformité mène à la mort. (A. Jacquard)

# ERREUR

**La perfection n'est pas de ce monde,
alors détendez-vous !
(F. Littauer)**

Ne cherchez pas la faute, cherchez le remède.
(H. Ford)

La vraie faute est celle qu'on ne corrige pas.
(Confucius)

Qu'est-ce que l'échec ? Rien qu'un apprentissage ; rien
d'autre que le premier pas vers quelque chose de mieux.
(W. Phillips)

On a souvent tort par la façon que l'on a d'avoir raison.

Méfions-nous des noyés qui s'accrochent et qui nous
noient.
(J. Cocteau)

On n'apprend rien sans se tromper.
(R. Rolland)

Il n'y a pas d'erreur plus engourdissante que de prendre une étape pour le but ou de s'attarder trop longtemps à une halte.
(Sri Aurobindo)

Trop de sécurité paralyse.
(D. Miran)

Faute d'un clou le fer fut perdu ; faute d'un fer le cheval fut perdu ; faute d'un cheval le cavalier fut perdu ; faute d'un cavalier la bataille fut perdue ; faute d'une bataille le royaume fut perdu.
(B. Franklin)

Celui qui veut être vrai doit risquer de se tromper.
(K. Jaspers)

Un homme ne doit jamais rougir d'avouer qu'il a tort ; car, en faisant cet aveu, il prouve qu'il est plus sage aujourd'hui qu'hier.
(J.-J. Rousseau)

Si vous sautez dans un puits, la Providence n'est pas obligée d'aller vous y chercher.
(Proverbe perse)

Ne cherchez pas à échapper à l'inondation en vous accrochant à la queue d'un tigre.
(Proverbe chinois)

Il y a deux âges pour faire des bêtises : la jeunesse parce qu'on a tout le temps devant soi ; la vieillesse, parce qu'il n'en reste plus des tas.
(J. Boissard)

❧

Il est bon de se prosterner dans la poussière quand on a commis une faute, mais il n'est pas bon d'y rester.
(F. R. de Chateaubriand)

❧

# *ESPOIR*

**L'heure la plus sombre est celle
qui vient juste avant le lever du soleil.
(P. Coelho)**

Il ne faut pas se jeter à l'eau avant que la barque n'ait
chaviré.
(Proverbe chinois)

N'entretenez pas l'espoir de ce qui ne peut être espéré.
(Pythagore)

Il est des moments où il faudrait oublier les vieux es-
poirs et s'en créer de nouveaux.
(F. Schiller)

Il ne faut désespérer de rien ; mais il ne faut compter
sur rien.
(Pline le Jeune)

Bienheureux qui n'espère rien, car il n'est jamais dé-
sappointé.
(A. Pope)

L'espoir est un bon déjeuner, mais un mauvais dîner.
(F. Bacon)

# *ÉTUDE*

**Nous sommes ce que nous apprenons.**
**(D. Lessing)**

On paie mal un maître en ne restant toujours que l'élève.
(F. Nietzsche)

Dès que tu vois que tu sais faire une chose, attaque-toi à quelque chose que tu ne sais pas encore faire.
(R. Kipling)

Qui s'instruit sans agir, laboure sans semer.
(Proverbe arabe)

Les hommes gagnent des diplômes et perdent leurs instincts.
(F. Picabia)

Seul l'esprit qui interroge est capable d'apprendre.
(Krishnamurti)

Il n'existe pas de sujets peu intéressants, il n'y a que des personnes peu intéressées.
(C. K. Chesterton)

Étudier sans réfléchir est vain, réfléchir sans étudier est dangereux.
(Confucius)

Mieux vaut comprendre qu'apprendre.
(G. Le Bon)

Étudie, non pour savoir plus, mais pour savoir mieux.
(Sénèque)

# EXPÉRIENCE

**J'ai longtemps cru que n'importe quoi valait mieux que rien du tout. Maintenant je préfère parfois rien du tout. (G. Jackson)**

L'expérience, c'est ce qui permet à la jeunesse de faire ce que la vieillesse sait impossible.
(T. Bernard)

Un savant qui a tout vu ne vaut pas quelqu'un qui a fait une chose de ses mains.
(Proverbe chinois)

On ne sait jamais ce qui est assez avant d'avoir connu ce qui est plus qu'assez.
(W. Blake)

L'expérience est, en vérité, le meilleur des maîtres et ceux qui n'ont pas vécu sont de pauvres candidats à la science de l'âme... Seul ceux qui ont connu le désir peuvent le pardonner chez les autres.

Le meilleur moyen de commettre des erreurs est de prendre de l'expérience. Le meilleur moyen de prendre de l'expérience est de commettre des erreurs.
(D$^r$ L. U. Peter)

L'expérience est un maître qui désapprend ce qu'il nous a enseigné.
(M. F. Tupper)

# FAMILLE

**La plus belle promotion que pouvait me donner la vie, c'était de devenir une grand-mère.**
**(B. Lozerech)**

Si vous ne pouvez être une étoile au ciel, soyez au moins une lampe à la maison.
(G. Eliot)

Quand ton fils est petit, sois son maître ; quand ton fils a grandi, sois son frère.
(Proverbe arabe)

Le comble du bonheur est de partager un événement heureux avec ceux qui nous sont chers.

On parle d'enfants problèmes, mais on ne parle pas de parents problèmes.
(Dr T. Gordon)

Avec ta mère jusqu'au rivage ; avec ton conjoint à travers l'océan.
(Proverbe albanais)

# FOI

**Avoir la foi, c'est signer une feuille blanche et permettre à Dieu d'y écrire ce qu'il veut.**
**(Saint Augustin)**

Les hommes de foi célèbrent l'invisible.

Si tu as la foi, tu verras à travers tout événement un dessein de Dieu qui est soit un encouragement, soit un avertissement.

Le moyen de voir par la foi, c'est de fermer les yeux à la raison.
(B. Franklin)

La foi : donnez-moi un aller simple pour Lourdes, dit le cul-de-jatte, je reviendrai à pied.
(Cavanna)

Les réponses données par la foi au sphinx de la vie contiennent la sagesse la plus profonde de l'humanité.
(R. Rolland)

Moi, j'ai éprouvé un net soulagement le jour où j'ai perdu la foi. J'en avais assez d'être constamment espionné par Dieu. J'ai été ravi de me rendre compte que ma destinée reposait entre mes mains et non entre les siennes.

Quand l'enthousiasme puise sa sève dans la foi, il donne toujours des fruits.

La foi concerne toujours l'inconnaissable ; elle est un saut sans parachute.
(O. Rajneesh)

La foi est la recherche courageuse de la vérité.
(Père A. de Mello)

Les médicaments ne sont pas toujours nécessaires, mais croire à la guérison l'est.
(N. Cousins)

L'homme est ce qu'il croit.
(A. Tchekhov)

La foi est une vision des choses qui ne se voient pas.
(J. Calvin)

La foi sans les œuvres est une foi morte.
(Saint Jacques)

Je le soignai. Dieu le guérit.
(A. Paré)

Croire et ne pas croire est également périlleux.
(Phèdre)

Pour croire avec certitude, il faut commencer par douter.
(S. Leszczynski)

On risque autant à croire trop qu'à croire trop peu.
(D. Diderot)

Il y a deux façons de vivre au jour le jour : l'une qui
conduit à Dieu, et l'autre à mourir étonné.
(G. Cesbron)

# *FORCE*

**La force ne vient pas des capacités corporelles, elle provient d'une infaillible volonté.
(Gandhi)**

Les faibles ont des problèmes. Les forts ont des solutions.
(L. Pauwels)

Il n'y a que deux puissances au monde, le sabre et l'esprit ; à la longue, le sabre est toujours vaincu par l'esprit.
(N. Bonaparte)

La vraie force n'est pas celle du corps, mais celle de l'âme.

Notre force naît de notre faiblesse.
(R. W. Emerson)

La faiblesse de la force est de ne croire qu'à la force.
(P. Valéry)

L'association est une chaîne qui a la force de son plus faible chaînon.
(Proverbe indien)

Moins on fait état de sa force, plus ses effets sont puissants.
(Yi king)

⟡

La brutalité est le recours de ceux qui n'ont plus de pouvoir intérieur.
(A. Hébert)

⟡

Il est plus facile de tuer un éléphant qu'un moustique.
(Proverbe indien)

⟡

Imposer sa volonté aux autres, c'est force. Se l'imposer à soi-même, c'est force supérieure.
(Lao Tseu)

⟡

Détourne-toi de toutes les forces qui dominent. Et tourne-toi vers les forces qui éveillent.
(F. Garagnon)

⟡

S'irriter contre la faiblesse, c'est prouver qu'on n'est pas fort.

⟡

Aucun homme n'est plus fort que sa plus grande faiblesse.
(A. Desjardins)

⟡

Qui est fort ? Celui qui d'un ennemi fait un ami.
(A. de Rabbi Nathan)

⟡

Ce n'est pas la force, mais la persévérance qui fait les grandes œuvres.
(S. Johnson)

La faiblesse qui conserve vaut mieux que la force qui détruit.
(J. Joubert)

Le plus fort n'est jamais assez fort pour être toujours le maître.
(J.-J. Rousseau)

L'homme fort n'est pas celui qui raisonne, mais celui qui rayonne.
(R. Bodart)

La force réside dans l'absence de crainte.
(Gandhi)

Il reste toujours assez de force à chacun pour accomplir ce dont il est convaincu.
(J. W. Goethe)

La force d'âme est préférable à la beauté des larmes.
(Euripide)

As-tu donné ta parole ? Tiens-la. Ne l'as-tu pas donnée ? Tiens bon.
(Proverbe russe)

Dans la vie, il n'y a pas de solutions. Il y a des forces en marche : il faut les créer, et les solutions suivent. (A. de Saint-Exupéry)

# FUTUR

**Effacer le passé, on le peut toujours...
mais on n'évite pas l'avenir.
(O. Wilde)**

Le jour éloigné existe, mais celui qui ne viendra pas,
n'existe pas.
(Proverbe chinois)

L'avenir, qui peut le dire ? Il est plus lucide de chercher à s'adapter que de chercher à prévoir.

L'avenir, tu n'as point à le prévoir mais à le permettre.
(A. de Saint-Exupéry)

C'est nous qui sommes le futur. Nous sommes la révolution.
(M. Ferguson)

Il faut planter un arbre au profit d'un autre âge.
(C. Statius)

L'avenir, ce fantôme aux mains vides, qui promet tant
et qui n'a rien !
(V. Hugo)

Non, l'avenir n'est à personne ! / Sire ! L'avenir est à Dieu ! / À chaque fois que l'heure sonne, / tout ici-bas nous dit adieu.
(V. Hugo)

Il n'est pas bon de songer à l'avenir tant que le présent offre encore son plaisir.
(M. Toesca)

Jusqu'ici, le présent était toujours déterminé par le passé. Aujourd'hui, il doit l'être par le futur.
(M. Poniatowski)

# GUERRE

> **Depuis six mille ans, la guerre plaît**
> **aux peuples querelleurs, et Dieu perd**
> **son temps à faire les étoiles et les fleurs.**
> **(V. Hugo)**

Dans une guerre, quel que soit le camp qui puisse se déclarer vainqueur, il n'y a pas de gagnant, il n'y a que des perdants.
(N. Chamberlain)

Pour les braves, un fusil n'est que le manche d'une baïonnette.
(N. Bonaparte)

La guerre révèle à un peuple ses faiblesses, mais aussi ses vertus.
(G. Le Bon)

Pour obtenir un bien si grand, si précieux, j'ai fait la guerre aux rois ; je l'eusse faite aux dieux.
(P. Du Ryer)

Brave devant l'ennemi, lâche devant la guerre, c'est la devise des vrais généraux.
(J. Giraudoux)

Une guerre est juste quand elle est nécessaire.
(N. Machiavel)

Il est plus facile de faire la guerre que la paix.
(G. Clémenceau)

La guerre est un mal qui déshonore le genre humain.
(F. Fénelon)

Il n'y a jamais eu de bonne guerre ni de mauvaise paix.
(B. Franklin)

# HABITUDE

**L'habitude est le meilleur des serviteurs
ou le pire des maîtres.
(N. Emmons)**

Le début d'une habitude est comme un fil invisible, mais chaque fois que nous répétons l'acte, nous renforçons le fil, y ajoutons un nouveau filament ; jusqu'à ce qu'il forme un câble qui lie irrévocablement nos pensées et nos actions.
(O. S. Marden)

Nous commençons par nous emparer de nos habitudes, puis les habitudes s'emparent de nous.
(J. Dryden)

Le bonheur : une habitude qui s'acquiert.
(M. Morgan)

Apprends à saisir le bonheur, car le bonheur est toujours là.
(J. W. Goethe)

Si vous demandez à un poisson de vous parler de son univers, la dernière chose qu'il saura décrire est l'eau.
(Proverbe chinois)

Ce n'est pas dans la nouveauté, c'est dans l'habitude
que nous trouvons les plus grands plaisirs.
(R. Radiguet)

L'habitude nous réconcilie avec tous.
(E. Burke)

Nous sommes ce que nous faisons habituellement.
(Aristote)

Tous les jours ou presque faites une chose pour la seule
raison que vous préféreriez ne pas la faire.
(W. James)

Le remède à l'habitude est l'habitude contraire.
(Épictète)

# HAINE

**La haine, c'est la colère des faibles.**
**(A. Daudet)**

Le ressentiment brûle celui qui l'éprouve bien avant que celui qui en fait l'objet en remarque la flamme.
(F. Finley)

Il est plus coûteux de venger les injures que des les oublier.
(T. Wilson)

L'eau ne reste pas sur les montagnes ni la vengeance sur un cœur noble.
(Proverbe chinois)

Nul ne haît la petitesse, sans devenir lui-même petit.

La loi de cause à effet se charge elle-même de châtier les gens. Il est donc inutile de punir son prochain par sa colère ou par tout autre moyen.

Quand nous haïssons un homme, nous haïssons dans son image quelque chose qui réside en nous. Ce que nous ne portons pas en nous, ne peut nous toucher.
(H. Hesse)

La vengeance est la joie des âmes basses.
(Juvénal)

Sois le maudit et non le maudissant.
(Le Talmud)

# *HASARD*

**Il n'y a pas de hasard ; tout est épreuve ou punition, ou récompense ou prévoyance.**
**(Voltaire)**

Le hasard, c'est le choix de l'inconscient.
(C. Rochefort)

Le hasard ? Mais c'est Dieu qui garde l'anonymat.
(E. Pailleron)

La chance ne donne pas, elle ne fait que prêter.
(Proverbe suédois)

Le hasard, c'est peut-être le pseudonyme de Dieu, quand il ne veut pas signer.
(T. Gautier)

Le hasard sait toujours trouver ceux qui savent s'en servir.
(R. Rolland)

Si vous ne savez pas où aller, tous les chemins vous y conduiront.

La chance, c'est ce qu'on ne mérite pas.
(P. Guth)

# HOMME

**Être un homme,
c'est sentir en posant une pierre
que l'on contribue à bâtir le monde.
(A. de Saint-Exupéry)**

L'homme est fait non pas pour traîner des chaînes mais pour ouvrir ses ailes.
(V. Hugo)

Tout homme est une histoire sacrée.
(P. de la Tour du Pin)

Les hommes ont tout perfectionné, sauf les hommes.
(Proverbe américain)

Être homme est facile, être « un homme » est difficile.
(Proverbe chinois)

Souvenons-nous que la terre n'appartient pas à l'homme, mais l'homme à la terre. Et si nous tenons au rapport de force, sachons que nous n'avons aucune chance de gagner.
(P. Rabanne)

Un homme sans tendresse est comme une forêt sans oiseaux.
(M. Mercier)

❦

On devrait s'habituer à considérer les hommes comme des puits de tendresse refoulée.
(L. Bersianik)

❦

Il y a la virilité et il y a l'infection virile, avec ces millénaires de possession, de vanité et de peur de perdre.
(R. Gary)

❦

Vous êtes un microcosme. Toutes les lois de l'existence sont à l'œuvre en vous.
(O. Rajneesh)

❦

Pour être tout à fait homme, il faut être un peu plus et un peu moins qu'homme.
(M. Merleau-Ponti)

❦

L'homme s'ennuie du bien, cherche le mieux, trouve le mal et s'y soumet, crainte du pire.
(Duc de Lévis)

❦

L'homme n'est pas la somme de ce qu'il a mais la totalité de ce qu'il n'a pas encore, de ce qu'il pourrait avoir.
(J.-P. Sartre)

❦

L'homme supérieur est à la fois semblable et différent.
(Confucius)

❦

Un homme n'est que ce qu'il sait.
(F. Bacon)

Il y a deux cris dans l'homme : le cri de l'ange et le cri de la bête. Le cri de l'ange, c'est la prière ; le cri de la bête, c'est le péché.
(Saint J.-M. Vianney)

Défiez-vous de l'homme qui trouve tout bien, de l'homme qui trouve tout mal et encore plus de l'homme qui est indifférent à tout.
(J. K. Lavater)

Un homme n'est pas bon à tout, mais il n'est jamais propre à rien.
(Se-Ma-Fa)

Dans tout homme, il y a un peu de tous les hommes.
(G. C. Lichtenberg)

# IDÉAL

**Un être atteint aux plus belles hauteurs
quand il ignore où il va.
(O. Cromwell)**

Un cœur sans idéal est un ciel sans étoiles.
(P. Élisée)

Il est plus à craindre de ne pas avoir d'idéal que de ne
pas l'atteindre.
(S. H. Kim)

Ayez de grandes attentes et de grandes choses se pro-
duiront.
(A. Fettig)

Si un homme n'a pas découvert ce pourquoi il serait
prêt à mourir, il n'est pas fait pour vivre.
(M. Luther King)

Si tu veux être heureux dans la vie, aie un idéal qui
t'élève et te fasse dédaigner les jouissances banales.
(A. Marin)

Certains voient les choses qui existent et se disent :
pourquoi ? Moi, je vois les choses qui n'existent pas et
je me dis, pourquoi pas ?
(J. F. Kennedy)

Ne regarde pas d'où tu viens, regarde où tu vas.

Si un homme avance avec confiance dans la direction
de ses rêves pour mener la vie qu'il s'est imaginée, il
réussira au-delà de toute espérance. La première étape
est évidemment de nourrir un rêve qui en vaut la peine.
(H. D. Thoreau)

L'impossible nous ne l'atteignons pas, il nous sert de
lanterne.
(R. Char)

Ce que tu veux, te veut aussi.
(V. Howard)

Suis avec assurance le chemin de tes rêves et découvre
la vie que tu as imaginée.
(H. D. Thoreau)

Vivre sans but, c'est abandonner son avenir au destin.

On acquiert beaucoup de pouvoir, du simple fait qu'on
sait ce qu'on veut.
(J. Rossner)

Les gens qui savent où ils vont ne vont pas loin.
(N. Bonaparte)

N'espère pas faire de grandes choses si tu ne vois pas plus loin que le haut de ta logique.

Que faire pour arriver à l'accomplissement du suprême ? Ne jamais s'arrêter.
(Proverbe zen)

À l'idéal ouvre ton âme, mets dans ton cœur beaucoup de ciel.
(T. Gautier)

Cherche dans ton ciel une étoile, et suis-la sans perdre confiance un seul jour.
(A. Marin)

Arriver ne veut rien dire. Seul compte le chemin.
(J. Kessel)

Vous devenez ce que vous admirez.
(Gokhale)

Ce que l'œil de l'homme a contemplé, il le devient.
(D. Od-Din-Rumi)

Quiconque possède un pourquoi assez fort peut supporter presque n'importe quel comment.
(F. Nietzsche)

La plus grande souffrance est celle de savoir que l'on n'a pas vécu conformément à ses idéaux.
(A. Robbins)

Certaines personnes vivent les choses telles qu'elles sont et se disent « Pourquoi ? » Moi je rêve de choses qui n'ont jamais été et je me dis « Pourquoi pas ? »

Rien n'arrive qu'on n'a pas déjà rêvé.
(C. Sandburg)

Plusieurs n'achèvent pas l'ascension de la montagne et s'installent à mi-chemin dans la médiocrité confortable.
(P. Charles)

Une vie d'homme, c'est une promesse à tenir, un fruit à mûrir, une œuvre à exécuter.
(A. Bourçols-Macé)

# *IGNORANCE*

**Là où l'ignorance abonde,
abondent les jugements qui condamnent.**

Il y a deux catégories d'imbéciles. Ceux qui disent :
« Cela est ancien, donc bon » et ceux qui affirment
« Cela est nouveau, donc meilleur ».
(J. Brunner)

Celui qui confesse son ignorance la montre une fois ;
celui qui essaye de la cacher la montre plusieurs fois.
(Proverbe japonais)

L'ignorance est la nuit de l'esprit, et cette nuit n'a ni
lune ni étoiles.
(Proverbe chinois)

Qui reconnaît son ignorance n'est pas vraiment ignorant ;
qui reconnaît son égarement n'est pas vraiment égaré.
(Tchouang-Tseu)

Les hommes passent la moitié de leur vie à se forger
des chaînes, l'autre partie à se plaindre d'avoir à les
porter.
(V. de Mirabeau)

Un innocent ne savait pas que la chose était impossible à faire... alors il l'a faite.
(Proverbe américain)

Nous sommes nos propres démons, nous nous expulsons de notre paradis.
(J. W. Goethe)

On n'a jamais fini d'apprendre parce qu'on n'a jamais fini d'ignorer.
(S. de Beauvoir)

Le signe de ton ignorance c'est la profondeur de ta croyance en l'injustice et en la tragédie.
(R. Bach)

Ce n'est pas la méchanceté qui fait le mal, c'est l'ignorance.

La science ne sert guère qu'à nous donner une idée de l'étendue de notre ignorance.
(F. de Lamennais)

L'obscurité n'existe pas ; seulement l'incapacité de voir.
(M. Muggeridge)

Il faut beaucoup de naïveté pour faire de grandes choses.
(R. Crevel)

# *IMMORTALITÉ*

**La mort est un rendez-vous
longtemps retardé avec un ami.
(Abbé Pierre)**

Tu as été avant de naître, tu seras après ta mort.
(Le Père Enfantin)

Un au-delà ? Pourquoi pas ? Pourquoi les morts ne
vivraient-ils pas ? Les vivants meurent bien.
(Y. Chaval)

Lorsque deux nobles cœurs se sont vraiment aimés, leur
amour est plus fort que la mort elle-même.
(G. Apollinaire)

Des millions de personnes recherchent l'immortalité,
sans savoir quoi faire de leur temps par une journée de
pluie.
(S. Ertz)

L'éternité occupe ceux qui ont du temps à perdre.
(P. Valéry)

La mort n'est qu'une manière différente et certaine-
ment beaucoup plus évoluée de vivre.
(C. Durix)

Un homme qui s'éteint, ce n'est pas un mortel qui finit, c'est un immortel qui commence.
(D. Lussier)

La mort, c'est un attrape-nigaud pour la famille ; pour
le défunt, tout continue.
(J.-P. Sartre)

Notre mort, c'est nos noces avec l'éternité.
(D. Rumi)

Je dois veiller à me garder en bonne forme pour les
vers. Et l'âme intacte pour Dieu.
(H. Miller)

La mort est le présent d'une vie nouvelle.
(Richter)

Mourir n'est pas mourir, mes amis ! C'est changer !
(A. de Lamartine)

Ne dites pas mourir. Dites : naître. Croyez !
(V. Hugo)

# *INTELLIGENCE*

**L'esprit est comme un parachute :
il ne nous sauve que lorsqu'il est ouvert.**

C'est une très mauvaise manière de raisonner que de rejeter ce qu'on ne peut comprendre.
(F. R. de Chateaubriand)

L'intelligence est presque inutile à celui qui ne possède qu'elle.
(A. Carrel)

L'intelligence est un capitaine qui est toujours en retard d'une bataille.
(L.-P. Fargue)

# JEUNESSE

**Il n'est jamais trop tard
pour avoir une enfance heureuse.
(T. Robbins)**

La jeunesse n'est pas un épisode de la vie. Elle est un état d'esprit, une qualité de l'imagination, une intensité émotive, une victoire du courage sur la timidité, du goût de l'aventure sur l'amour du confort.
(Général MacArthur)

La jeunesse, c'est l'époque de la vie où l'on est trop vieux pour suivre un conseil.

La plus inquiétante jeunesse est celle qui n'a pas d'opinion extrême.
(H. Bordeaux)

La jeunesse est exigeante, elle veut que la vie soit vraie.
(Abbé Pierre)

# *JUGER*

**Grattez le juge, vous trouverez le bourreau.**
**(V. Hugo)**

Notre génération n'aura pas seulement à répondre des actes des hommes malfaisants. Il lui faudra aussi répondre du silence des gens de bien.
(M. Luther King)

Juger c'est, de toute évidence, ne pas comprendre, puisque si l'on comprenait, on ne pourrait pas juger.
(A. Malraux)

N'estime pas quelqu'un sur ce que tu entends, mais sur ce que tu vois.
(F. Garagnon)

Pour connaître un homme voyez les moyens qu'il emploie, observez ce qu'il recherche, examinez ce en quoi il met son bonheur.
(Confucius)

Il ne faut pas juger d'un homme par ce qu'il ignore, mais par ce qu'il sait.
(L. de Vauvenargues)

Cordonnier, ne juge pas plus haut que la chaussure.
(Pline L'Ancien)

⁕⁕⁕⁕⁕

Si vous jugez les gens, vous n'avez pas le temps de les aimer.
(Mère Teresa)

⁕⁕⁕⁕⁕

L'homme regarde le visage. Dieu regarde le cœur.

⁕⁕⁕⁕⁕

On ne juge pas les autres tels qu'ils sont ; on les juge généralement tel qu'on est soi-même.
(J. Lerède)

⁕⁕⁕⁕⁕

Le jour du jugement, on te demandera « Quel mérite possèdes-tu ? » et non « Qui est ton père ? »
(M. Saadi)

⁕⁕⁕⁕⁕

Si j'ai mal agi, que le ciel me juge.
(Confucius)

⁕⁕⁕⁕⁕

Si de deux adversaires l'un vient te trouver avec un œil crevé, ne lui donne pas raison avant d'avoir vu l'autre qui a peut-être perdu les deux yeux.
(Proverbe arabe)

⁕⁕⁕⁕⁕

Je pense que les hommes appelés à en juger d'autres devraient avoir fait un stage de deux ou trois mois en prison.
(M. Aymé)

⁕⁕⁕⁕⁕

# JUSTICE

**Aucun coupable n'est absous
devant son propre tribunal.
(Juvénal)**

Il n'arrive pas aux hommes ce qu'ils méritent, mais ce qui leur ressemble.
(L. Pauwels & J. Bergier)

L'indulgence fait partie de la justice.
(Pline le Jeune)

Je veux la sympathie du monde dans ce combat du droit contre la force.
(Gandhi)

En établissant des lois, il faut être sévère ; en les appliquant, il faut user de clémence.
(Proverbe chinois)

La réflexion marque le commencement de la justice intérieure.

Pour être juste, il faut parfois oublier la justice.
(M. Denuzière)

Si l'homme ne vous voit pas, le ciel vous regarde.
(Proverbe chinois)

Une même loi pour le lion et le bœuf, c'est l'oppression.
(W. Blake)

Si vous avez la force, il nous reste le droit.
(V. Hugo)

Qui épargne le méchant, nuit au meilleur.
(C. de Rhodes)

La clémence vaut mieux que la justice.
(L. de Vauvenargues)

Le droit dort quelquefois, mais il ne meurt pas.

Personne ne peut nuire à autrui sans se nuire à lui-même, ni aider autrui sans se faire du bien à lui-même.
(R. Follereau)

Il y a une sanction pour le bien et une pour le mal ; si elle tarde, c'est que l'heure n'est pas venue.
(Proverbe chinois)

Tout ce qui est permis n'est pas honnête.
(Proverbe latin)

La loi permet souvent ce que défend l'honneur.
(B. J. Saurin)

C'est ouvrir une digue que de commencer un procès.
(Proverbe arabe)

Qui hésite à punir augmente le nombre des méchants.
(P. Syrus)

La justice est la vérité en action.
(J. Joubert)

# LIBERTÉ

**L'originalité de l'être humain,
c'est d'être libre. Et il gâcherait sa liberté
s'il ne prenait pas de risques.
(Abbé Pierre)**

Les chaînes d'acier ou de soie sont toujours des chaînes.
(F. von Schiller)

Il y a un bonheur supérieur à celui de commander au monde, c'est de n'obéir à personne.
(J.-P. Feuillebois)

Faisons des choses qui nous sauvent ; non des choses qui nous plaisent.
(Saint François de Sales)

Notre seule véritable liberté consiste à découvrir et à dégager la réalité spirituelle qui est en nous.
(Sri Aurobindo)

La vraie liberté est de pouvoir toute chose sur soi.
(M. de Montaigne)

Ose tout... N'aie besoin de rien.
(L. Andreas Salomé)

Un homme n'est capturé que s'il le désire.
(C. Castaneda)

J'aime l'ultime liberté de rester inconnu.
(C. Castaneda)

Sauriez-vous m'aimer assez, pour m'aimer libre, libre de vous ?
(R. Rolland)

J'aime qu'on me prenne, j'aime qu'on me tienne, mais je n'aime pas qu'on m'enferme.
(M. Righiti)

Allez à la recherche de vous-même, car vous êtes la vérité. Et personne ne peut vous y mener, sauf vous.
(S. Levine)

La liberté ne recherche aucune satisfaction, elle est dénudée de désir.
(S. Levine)

Si tu veux être libre, sois profondément sceptique à l'égard des normes de l'époque et de ce qui est officiel.
(F. Garagnon)

Pour entrer dans l'inconnu, on doit se libérer du connu.
(Krishnamurti)

Exigez la liberté comme un droit ; soyez ce que vous voulez être.
(R. Bach)

Mon corps, on peut le broyer, il peut pourrir dans la tombe, mais moi je serai toujours libre.
(A. Hamzah)

Nous ne pouvons garder que ce que nous libérons.

La liberté n'est pas un droit, c'est un devoir.
(N. Berdiaeff)

On n'est pas libre lorsqu'on n'est pas maître de soi.
(Démophile)

Il faut mépriser tout ce qu'on peut perdre.
(Syrus)

L'homme n'est pas vraiment libre tant qu'il ne sait pas obéir.
(P. Gratry)

On ne peut se rendre maître des choses en les possédant toutes ; il faut s'en rendre maître en les méprisant toutes.
(J. B. Bossuet)

C'est quand on a tout donné, quand on ne tient plus à rien qu'on possède tout.
(M. Jouhandeau)

Le secret douloureux des dieux et des rois, c'est que les hommes sont libres et ils ne le savent pas.
(J.-P. Sartre)

Il n'y a de bonheur que dans la liberté et de grandeur que dans une liberté croissante.
(R. Peyrefitte)

Rien n'est éternel sauf, chez les hommes courageux, le goût de la liberté !
(A. Salacrou)

Il n'y a pas de liberté donnée ; il faut se conquérir sur les passions, sur la race, sur la classe, sur la nation et conquérir avec soi les autres hommes.
(J.-P. Sartre)

Attendre des autres qu'ils changent, c'est continuer de leur laisser le pouvoir sur vous. C'est rester dans la dépendance.

# LIVRE

**Un livre qui ne fournit pas de citation,
ce n'est pas un livre, c'est un jouet.**

Quand tu sauras lire, tu ne seras jamais plus tout seul.
(J. Folch-Ribas)

Un livre introduit des pensées nouvelles, mais ne peut
hâter le moment où elles seront comprises.
(M. Baker Eddy)

On ne lit jamais un livre. On se lit à travers les livres,
soit pour se découvrir, soit pour se contrôler.
(R. Rolland)

Dans la lecture solitaire, l'homme qui se cherche lui-
même a quelque chance de se rencontrer.
(G. Duhamel)

Une bibliothèque, c'est le carrefour de tous les rêves
de l'humanité.
(J. Green)

Aimer à lire, c'est faire un échange des heures d'ennui que l'on doit avoir en sa vie, contre des heures délicieuses.
(C. de Montesquieu)

Un livre est un outil de liberté.
(J. Ghéhenno)

Qui veut se connaître, qu'il ouvre un livre.
(J. Paulhan)

# *MAL*

**Accepter le mal qu'on nous fait
comme remède à celui que nous avons fait.
(S. Weil)**

Le mal commis est un malheur suspendu ; le bien accompli est un trésor caché.
(Proverbe malgache)

Mieux vaut tenir le diable dehors que d'avoir à le mettre à la porte.
(J. Kelly)

Il n'est pas de méchants ; il n'est que des souffrants.
(F. Gregh)

Les méchants croient vous faire beaucoup de bien en ne vous faisant pas de mal.
(Sapho)

Les gens heureux ne sont jamais méchants.
(Proverbe hollandais)

L'homme de peu considère un peu de bien comme sans valeur, et il ne le fait point ; et il considère un peu de mal comme n'étant pas nuisible, et il ne l'évite pas.
(Confucius)

Le mal est facile, le bien demande beaucoup d'efforts.
(T. de Mégare)

Ce qu'on appelle un « méchant », c'est presque toujours un malheureux qui n'a pas encore été assez aimé.
(Pie XII)

Nul être humain n'est trop mauvais pour être sauvé.
(Gandhi)

La route des enfers est facile à suivre ; on y va les yeux fermés.
(B. de Boristhène)

Arrêtez le mal avant qu'il n'existe ; calmez le désordre avant qu'il n'éclate.
(Lao Tseu)

L'homme est devenu trop puissant pour se permettre de jouer avec le mal. L'excès de sa force le condamne à la vertu.
(J. Rostand)

Faites-vous le compagnon du vice et vous serez bientôt son esclave.
(H. G. Bohn)

＊＊＊

Avec le mal qu'on fait, on finit toujours par se faire mal soi-même.
(F. Garagnon)

＊＊＊

# MALADIE

**La maladie est envoyée à l'homme pour
lui rappeler la fragilité de son bonheur.
(C. Archambault)**

Il faut recevoir la maladie comme une lettre ; elle nous
est toujours destinée pour nous révéler quelque chose.
(Sinaneschi)

Quand tu es malade, commence par t'armer de patience.
(Zamakhschari)

On ne guérit pas un malade qui se croit en santé.
(H. F. Amiel)

Quel que soit le père de la maladie, un mauvais régime
en fut la mère.
(G. Herbert)

Sauf la souffrance physique, tout est imaginaire.
(J. Chardonne)

# MARIAGE

**Cessez de vouloir faire de votre conjoint une seconde édition de vous-même.**
**(M. Morgan)**

Il ne suffit pas d'être malheureux séparément pour être heureux ensemble.
(R. Gary)

Si je t'aime au bout de vingt ans, c'est parce que tu m'énerves encore !
(B. Groult)

Il n'y a jamais eu de grand amour sans tempête.
(W. Shakespeare)

Je ne compte pas que tu changeras. Sois seulement ce que tu es ! Mais ose l'être ! Sois-le franchement.
(R. Rolland)

J'aime mieux tes défauts que les qualités des autres.
(G. Sand)

À force de t'avoir aimée pour ce que tu n'étais pas, j'ai appris à te chérir pour ce que tu es.
(F. Mauriac)

On s'épargnerait bien de tristes étonnements, si l'on se mettait dans la tête une fois pour toutes que l'autre n'est pas soi, même quand il vous aime.
(H. de Montherlant)

⚜

Le mariage doit incessamment combattre un monstre qui dévore tout : l'habitude.
(H. de Balzac)

⚜

Je t'aime, tu m'aimes, on sème.
(M. Chapelan)

⚜

La solitude dans ou hors du mariage, c'est la même chose.
(C. Oliver)

⚜

Il est plus facile de mourir pour la femme qu'on aime que de vivre avec elle.
(A. Maurois)

⚜

Il y a un plaisir délicieux à serrer dans ses bras une femme qui vous a fait beaucoup de mal, qui a été votre cruelle ennemie pendant longtemps et qui est prête à l'être encore.
(Stendhal)

⚜

J'ai toujours pensé que ce qui donnait un sens à la vie d'un homme c'était de protéger une femme.
(J. de Bourbon)

⚜

Le mariage, depuis le moment où il est conclu et scellé, est une chose à faire, non une chose faite.
(Alain)

Le mariage simplifie la vie et complique la journée.
(J. Rostand)

Le bonheur conjugal, c'est d'être aussi heureux à deux qu'on l'aurait été tout seul.
(A. Soubiran)

Le mariage est comme la mort ; peu de gens y arrivent préparés.
(N. Tommaseo)

# *MÉDITATION*

**Ferme les yeux et tu verras.**
**(J. Joubert)**

C'est dans la solitude, le silence et la méditation que l'âme se fortifie.
(J.-L. Victor)

C'est cela l'essentiel, cette présence qui est notre absence.
(J. Klein)

La réalité des hommes n'est que substance apparente. Le vide n'est pas le néant. Celui qui devient une forme vide est, au contraire, l'être le plus complet qui soit puisqu'il contient l'univers en puissance...

Celui qui sait méditer connaît l'intimité des choses. Il les connaît de l'intérieur.
(D. Pelletier)

Méditer comme l'aigle regarde le soleil.
(P. Dehaye)

Si l'homme parfois ne fermait pas les yeux, il finirait par ne pas voir ce qui vaut d'être regardé.
(R. Char)

# MENSONGE

**Avec un mensonge on va loin,
mais sans espoir de retour.
(Proverbe yiddish)**

Je me fais plus d'injures en mentant que je n'en fais à celui à qui je mens.
(M. de Montaigne)

Le mensonge donne des fleurs, mais pas de fruits.

Un mensonge bien intentionné vaut mieux que la vérité qui produit le malheur.
(M. Saadi)

J'aime la vérité. Je crois que l'humanité en a besoin ; mais elle a bien plus grand besoin encore du mensonge qui la flatte, la console, lui donne des espérances infinies. Sans le mensonge, elle périrait de désespoir et d'ennui.
(A. France)

Et après tout, qu'est-ce qu'un mensonge ? La vérité sous le masque.
(Lord Byron)

Mentir est le fait des esclaves.

Un des plus constants de mes soucis est celui de ne pas tricher. Je veux aller à Dieu, mais je ne veux pas mentir aux hommes.
(J. Green)

# MONDE

**Ce qui va mal ce n'est pas le monde,
c'est notre manière de le regarder.
(H. Miller)**

Le monde serait meilleur si vous l'étiez.
(Saint Paul)

Avant notre venue, rien ne manquait au monde ; après
notre départ, rien ne lui manquera.
(O. Khayyam)

Le monde n'avance que grâce à ceux qui s'y opposent.
(H. Arendt)

La terre est devenue trop petite pour la méchanceté
des hommes.
(M. Chapelan)

On peut regarder le monde soit comme la malheureuse
victime d'un voleur, soit comme un aventurier en quête
d'un trésor.
(P. Coelho)

Pour expliquer un brin de paille, il faut démonter tout l'univers.
(R. de Gourvent)

L'aventure ne se trouve pas à l'extérieur ; elle est à l'intérieur.
(D. Grayson)

Tout ce qui existe dans le monde n'est pas en dehors de toi ; cherche en toi-même tout ce que tu veux être.
(Proverbe arabe)

Il faut partir de soi pour s'intéresser à l'univers.
(J. Chardonne)

Ce que nous voyons, c'est ce qui se trouve en nous. Il n'est point de réalité hors de celle que nous avons en nous.
(H. Hesse)

Le monde extérieur n'est que la projection de ce que nous sommes ; on ne peut rendre ce monde meilleur qu'en s'améliorant soi-même ; la vraie révolution est d'abord à l'intérieur.
(M. Ferguson)

Un bateau est conçu pour aller sur l'eau, mais l'eau ne doit pas y entrer. De la même façon nous sommes conçus pour vivre dans le monde mais le monde ne doit pas nous envahir.
(S. Sai Baba)

On entre, on crie et c'est la vie ! On crie, on sort et c'est la mort.
(A. de Chancel)

La terre est le probable paradis perdu.
(F. Garcia Lorca)

La connaissance du monde s'acquiert uniquement dans le monde et non dans un vase clos.
(Lord Chesterfield)

Le monde est un livre dont chaque pas nous ouvre une page.
(A. de Lamartine)

# MORT

**La mort doit être vue comme un moment
d'accomplissement ; celui ou Dieu
cueille sa fleur.
(Abbé Pierre)**

Dieu sait quel est le meilleur moment pour que nous quittions la terre et cette mort est une élévation. Finalement, si vous pleurez trop la mort de quelqu'un, vous ne révélez que votre manque de compréhension de la vie.
(A. Robbins)

Il faut vouloir vivre et savoir mourir.
(N. Bonaparte)

Quand on ne sait pas ce qu'est la vie, comment pourrait-on connaître la mort ?
(Proverbe chinois)

Le destin des hommes est de mourir... Pourquoi m'attrister, alors que mon sort est normal et que mon destin est celui de tous les humains ?
(Lie-Tseu)

La vie nous donne bien des leçons, mais la mort aussi.
(Réflexions sur la vie quotidienne)

J'ai trop aimé les étoiles pour avoir peur de la nuit.

Le temps de la mort est toujours en avance sur l'instant présent.
(P. Ohl)

Il y a des morts qui ne meurent jamais.

En vérité, la mort nous ne pouvons pas la vaincre, mais la peur de la mort nous le pouvons.
(N. Kazantzákis)

La mort n'est peut-être que l'enfantement d'une âme.
(M. Yourcenar)

L'enseignement de l'art de mourir est le même que celui de l'art de vivre. Plus nous nous débarrassons du désir de posséder, sous toutes ses formes, moins forte est la peur de mourir, puisqu'il n'y a rien à perdre.
(E. Fromm)

Rares sont ceux qui vivent leur vie si intégralement que la mort ne représente aucune menace. La plupart des gens combattent la mort comme ils ont combattu la vie.
(S. Levine)

Comment mourir dans la plénitude quand on a vécu si partiellement ?
(S. Levine)

L'idée de mort n'est pas terrifiante à l'esprit de celui qui sait vivre.
(R. W. Emerson)

Et un jour nous prendrons la mort pour aller vivre sur une étoile.
(V. Van Gogh)

Mourir c'est changer de corps comme l'artiste change d'habit.
(Plotin)

Nu, je suis venu en ce monde, et nu je dois le quitter.
(M. de Cervantès)

Même les rois, les puissants monarques menant une vie glorieuse dans leurs palais somptueux doivent mourir quand leur heure est venue.
(V. Ponnya)

Le silence éternel de ces espaces infinis m'effraie un peu.
(B. Pascal)

C'est ici que j'attends la mort, sans la désirer ni la craindre.
(Maynard)

Je n'ai pas aimé le monde, le monde ne m'a pas aimé, mais quittons-nous loyaux ennemis.
(Lord Byron)

Mourir ce n'est rien. Commence donc par vivre.
(J. Anouilh)

---

C'est un mal pour les épis de ne pas être moissonnés,
ce serait un mal pour les hommes de ne pas mourir.
(Épictète)

---

Tous les jours vont à la mort, le dernier y arrive.
(M. de Montaigne)

---

Il est mauvais de souhaiter la mort, mais encore plus
mauvais de la craindre.
(Périandre)

---

Après la mort, il n'y a rien, et la mort elle-même n'est rien.
(Sénèque)

---

La mort est une loi, non un châtiment.
(Sénèque)

---

Toute la vie n'est qu'un voyage vers la mort.
(Sénèque)

---

L'homme meurt autant de fois qu'il perd l'un des siens.
(P. Syrius)

---

Mourir c'est traverser un pont qui nous fait peur – parce
qu'il est mystérieux – et c'est normal.

---

La mort rattrape qui la fuit.
(Horace)

<hr>

Le mourant dit qu'il va aller compter les étoiles et qu'il reviendra quand il les aura toutes comptées.
(Proverbe tahitien)

<hr>

Adieu, chers compagnons ! Adieu, mes chers amis ! Je m'en vais le premier vous préparer une place.
(P. de Ronsard)

<hr>

La vraie communion est dans la mort.
(G. Mathieu)

<hr>

La mort est une maladie de l'imagination.
(Alain)

<hr>

On ne devrait jamais condamner un homme à mort parce que nous ne savons pas ce qu'est la mort.
(J. Green)

<hr>

Gémir, pleurer, prier, est également lâche. / Fais énergiquement ta longue et lourde tâche. / Dans la voie où le sort a voulu t'appeler. / Puis après, comme moi, souffre et meurs sans parler.
(A. de Vigny)

<hr>

# MUSIQUE

**Il m'a toujours semblé que la musique
ne devrait être que le trop-plein
d'un grand silence.
(M. Yourcenar)**

La musique et l'amour sont les deux ailes de l'âme.
(H. Berlioz)

La musique supplée à l'impuissance du langage humain.
(R. Schumann)

La musique demeure la langue qui permet de s'entretenir avec l'au-delà.
(R. Schumann)

La musique est l'interprète des éléments, la révélatrice
des plus hauts secrets de la nature de Dieu.
(R. Schumann)

# NATURE

**Pourquoi êtes-vous végétarien ?**
**Les animaux sont mes amis**
**et je ne tue pas mes amis.**

Il y aurait donc, parmi nous, deux types d'humains bien délimités : ceux qui coupent des arbres et ceux qui plantent des arbres.
(R. Blondin)

Dieu aima les oiseaux et inventa les arbres. L'homme aima les oiseaux et inventa les cages.
(J. Deval)

Jamais la nature ne nous trompe ; c'est nous qui nous trompons.
(J.-J. Rousseau)

Si un chat miaule dans une chambre, sortez-le de la chambre mais ne maudissez pas le chat, car c'est dans sa nature de miauler.
(Proverbe chinois)

La nature, c'est un peu Dieu... le ciel, les arbres, la terre, l'eau. Admirez ces chefs-d'œuvre, c'est une prière.
(R. Duguay)

Écoute la silencieuse nature ; elle seule est inapte à mentir.
(J. Rostand)

⟡

Certains sentent la pluie à l'avance ; d'autres se contentent d'être mouillés.
(H. Miller)

⟡

Nous sommes les fleurs des fleuristes. / Nous sommes les fleurs des marchands. / Les petites fleurs qui sont tristes / de ne pas fleurir dans les champs.
(E. Rostand)

⟡

Le vieillard regardait le soleil qui se couche ; le soleil regardait le vieillard qui se meurt.
(V. Hugo)

⟡

Dieu a fait la campagne et l'homme, la ville.
(W. Cowper)

⟡

Il y a plus dans les forêts que dans les livres.
(Saint Bernard)

⟡

Même pour le simple envol d'un papillon tout le ciel est nécessaire.
(P. Claudel)

⟡

La nature est, de tous les livres, celui qui parle le plus clairement de l'existence de Dieu.
(F. de La Rochefoucauld)

⟡

La ville a une figure, la campagne a une âme.
(J. de Lacretelle)

Convaincu du néant de tout, il reste délicieux de s'attendrir sur la fragilité des roses.
(M. Chapelan)

# NOBLESSE

**L'homme n'est grand véritablement
que lorsqu'il est prêt à se battre
pour des causes perdues.**

La vraie grandeur se courbe par bonté vers ses infé-
rieurs et revient sans effort dans son naturel.
(J. de La Bruyère)

Ne méprisez jamais personne ; regardez celui qui est
au-dessus de vous comme votre père ; votre égal,
comme votre frère ; votre inférieur, comme votre fils.
(A. Pacha)

La fidélité ne s'affirme vraiment que là où elle défie
l'absence.
(G. Marcel)

Si tu tombes, tombe debout !
(I. Vazov)

S'effacer devant une personne plus humble que soi est
une preuve de grandeur. S'abaisser devant quelqu'un
de puissant, une lâcheté.
(Yi king)

Faire tout le bien qu'on peut ; aimer la liberté par-dessus tout et, quand même ce serait pour un trône, ne jamais trahir la vérité.
(L. van Beethoven)

Celui-là est un mauvais serviteur qui ne se réjouit pas du bonheur de son maître et qui ne s'afflige pas avec lui de ses revers.
(Euripide)

L'homme courtois évite de poser le pied même sur l'ombre de son voisin !
(Proverbe chinois)

La reconnaissance est la mémoire du cœur.
(H. C. Andersen)

Même à son ennemi, on doit tenir parole.
(Syrus)

Le plus noble parmi les riches est celui qui est plein de pitié pour les pauvres, et le meilleur des pauvres est celui qui ne compte pas sur la charité du riche.
(M. Saadi)

Tout est pur pour ceux qui sont purs.
(Saint Paul)

L'être supérieur n'est sur le chemin de personne.
(N. Bonaparte)

Vous serez content de votre vie si vous en faites un noble usage.
(E. Renan)

# *OCCASION*

**Dieu fournit le vent,
l'homme n'a qu'à hisser la voile.
(Saint Augustin)**

Celui qui se dérobe à l'action trouve des excuses. Celui qui se voue à l'action trouve des moyens.

Le diable a pris les offrandes, mais il reste l'autel.
(Proverbe tchèque)

Tout événement est une occasion.
(Proverbe zen)

De l'étincelle jaillit la flamme.
(A. Dante)

# *ORIGINALITÉ*

**Innover ou crever.**
**L'avenir appartient au créatif.**
**(R. von Oech)**

La référence à la norme du groupe est le premier ré-
flexe de l'individu social. Voilà pourquoi un être
exceptionnel est un individu anormal.

Imaginer les choses vaut mieux que se les rappeler.
(J. Irving)

Les innovateurs cessent de subir les influences de forces
extérieures pour se laisser guider par leurs convictions
personnelles et leur énergie.
(P. Donovan)

La pensée créatrice consiste à se rendre compte qu'il
n'y a pas de vertu particulière à faire les choses de la
façon dont elles ont toujours été faites.
(R. von Oech)

Qui met ses pas dans celui qui le devance ne le dépas-
sera jamais.
(Mao)

L'imagination est plus paresseuse que la mémoire.
(J. Irving)

Cela coûte très cher de ne pas être comme tout le monde.
(A. David-Neel)

Les folies sont les seules choses qu'on ne regrette jamais.
(O. Wilde)

Au lieu de louer les idées de l'époque, sois propriétaire des tiennes.
(F. Garagnon)

La fantaisie est un perpétuel printemps.
(F. Schiller)

Dans la vie, il faut se tromper, être fou et imprudent.
(J. Brel)

# PARDON

En se vengeant, on devient égal
à son ennemi ; en pardonnant,
on se rend supérieur.
(F. Bacon)

Pardonner une injure reçue, c'est guérir soi-même une plaie de son cœur.
(Saint Vincent de Paul)

Oublier est le grand secret des existences fortes et créatrices.
(H. de Balzac)

Tant que demeurent en toi la rancune, les reproches, il est impossible d'oublier. Pour oublier, il faut pardonner. Les deux vont de pair... Il faut savoir laisser ses blessures tranquilles, elles guérissent plus vite.
(Bhagwan)

On pardonne tout à celui qui ne se pardonne rien.
(Proverbe chinois)

L'eau ne reste pas sur les montagnes ni la vengeance sur un grand cœur.

La plus belle chance qui soit offerte à celui qui aime véritablement, c'est la possibilité de pardonner et de manifester ainsi sa noblesse de caractère.

Pardonner, c'est abandonner l'espoir d'un passé meilleur.

Je n'aurai pas à lui pardonner puisque je ne l'ai jamais condamné.
(C. Mauriac)

S'il y a une chose impardonnable, c'est de ne pas pardonner.
(É. Ajar)

Nous excusons toujours ce que nous comprenons.
(M. Lermontov)

Celui qui dit des injures est bien près de pardonner.
(M. de Cervantès)

Le pardon est une chose curieuse ; il réchauffe le cœur et rafraîchit la blessure.

Le pardon est le propre de l'homme courageux.
(Gandhi)

Se venger d'une offense, c'est se mettre au niveau de son ennemi ; la lui pardonner, c'est se mettre au-dessus de lui.
(Proverbe anglais)

# PASSION

**J'aime seulement ce qu'on écrit
avec son sang.
(F. Nietzsche)**

Rien ne fait vivre et rien ne tue comme la passion.
(J. Roux)

La passion a tous les droits, parce qu'elle va au-devant de tous les sentiments. Elle porte en elle-même sa punition.
(A. France)

Les êtres incapables de passion sont les êtres les plus éloignés de Dieu.

Les êtres que les passions peuvent le plus émouvoir sont capables de goûter le plus de douceur en cette vie.
(R. Descartes)

Sa passion lui donne du génie.
(J. Des Vignes-Rouges)

Vivre, c'est brûler.
(H. Aoki)

Les êtres humains ne se comprennent qu'à mesure qu'ils sont animés des mêmes passions.
(Stendhal)

Toutes les passions aiment ce qui les nourrit ; la peur aime l'idée du danger.
(J. Joubert)

Les vraies passions donnent des forces, en donnant du courage.
(Voltaire)

# *PATIENCE*

**À qui sait attendre,
le temps ouvre ses portes.
(Proverbe chinois)**

Il faut croire, espérer et sourire.
(Alain)

Le véritable travail, c'est de savoir attendre.
(J. Rostand)

Il faut du temps à la source pour devenir un grand
fleuve.
(Yi king)

Il faut gouverner la fortune comme la santé, en jouir
quand elle est bonne et prendre patience quand elle
est mauvaise.
(F. de La Rochefoucauld)

La patience est très importante. Les hommes forts sont
ceux qui sont patients.
(J. Clavell)

# PAUVRETÉ

**Toutes les fois que je rencontre un homme pauvre qui est reconnaissant, je pense qu'il aurait été généreux, s'il avait été riche.**
**(J. Swift)**

Il ne dépend pas de nous de n'être pas pauvres, mais il dépend toujours de nous de faire respecter notre pauvreté.
(Voltaire)

C'est de l'enfer des pauvres qu'est fait le paradis des riches.
(V. Hugo)

Les hommes sont comme toutes les bêtes, comme tous les êtres vivants. La faim les rend féroces. Et qu'est-ce que la pauvreté, sinon une faim généralisée ?
(M. Tournier)

On peut sortir de la pauvreté, mais jamais de la médiocrité.
(G. Normand)

À quelle heure doit-on dîner ? Si l'on est riche, quand on veut ; si l'on est pauvre, quand on peut.
(Diogène)

La pauvreté met le crime à rabais.
(H. de Chambord)

L'amour est pour celui qui a mangé et non pour celui qui a faim.
(Euripide)

Pauvreté n'est pas péché ; mieux vaut cependant la cacher.
(A. Brizeux)

Le riche commet une injustice, et il frémit d'indignation ; le pauvre est maltraité, et il demande pardon.
(L'Ecclésiaste)

# *PÉCHÉ*

**Le péché n'est rien d'autre que la recherche
du bonheur sur une voie d'erreur.**

Que sait-il, celui qui n'a pas été tenté ?
(L'Ecclésiaste)

Les crimes secrets ont les dieux pour témoins.
(Voltaire)

Un homme qui peut prostituer son talent pour de l'argent est bien pire que celui ou celle qui se prostitue, car l'esprit est une chose bien plus sacrée que le corps, et le talent, une chose plus sacrée encore.

Il n'y a pas d'homme juste sur terre qui fasse le bien sans jamais pécher.
(B. Sira)

L'habitude du péché lui donne une jolie couleur.
(T. Dekker)

Le péché entre en nous rarement par force, mais par ruse.
(G. Bernanos)

Allez, vous avez encore une vingtaine d'années de jo-
lis péchés à faire ; n'y manquez pas ; ensuite vous vous
repentirez.
(D. Diderot)

Ils ne pèchent pas, ceux qui pèchent par amour.
(O. Wilde)

C'est lorsque nous aimons notre péché que nous sommes damnés irrémédiablement.

# PENSÉE

**Changez vos pensées
et vous changerez le monde.**

Nos pensées sont les ombres de nos actions.
(F. Picabia)

Le contenu de la réalité est simplement le reflet du contenu de notre esprit.
(R. Steiner)

L'esprit devient ce qu'en font les pensées, car les pensées de quelqu'un déteignent sur son âme.
(Marc Aurèle)

Si vous désirez effectuer un changement important dans votre vie, vous devez changer vos croyances qui ont déjà empêché ce changement dans le passé.
(S. Roman)

Ses pensées déterminent la vie d'un homme.
(Marc Aurèle)

Celui dont la pensée ne va pas loin, verra les ennuis de près.
(Confucius)

***

Avez-vous une si haute opinion des gens qui vous entourent qu'il faille vous soucier de ce qu'ils pensent ?
(M. Kundera)

***

Brisez les chaînes de vos pensées et vous briserez aussi les chaînes qui retiennent votre corps prisonnier.
(R. Bach)

***

Pour voler à la vitesse de la pensée, il te faut commencer par être convaincu que tu es déjà arrivé à destination.
(R. Bach)

***

Nous n'avons qu'un esclavage : notre pensée. Nous ne sommes esclaves ni du monde ni du diable, mais de nous-mêmes.
(F. Duban)

***

La vision est l'art de voir les choses invisibles.
(J. Swift)

***

Nous sommes ce que nous pensons. Tout ce que nous sommes résulte de nos pensées. Avec nos pensées, nous bâtissons le monde.
(Bouddha)

***

Nous nous élevons par nos pensées, nous grimpons les échelons de notre vision de nous-mêmes.
(O. S. Marden)

À l'origine de toute action, il y a une pensée.
(R. W. Emerson)

L'esprit est son propre lieu, et en lui-même peut faire de l'enfer un ciel et du ciel un enfer.
(J. Milton)

Il faut vivre comme on pense, sans quoi l'on finira par penser comme on a vécu.
(P. Bourget)

La pensée dans le cœur de l'homme est une eau profonde et l'homme intelligent y puisera.
(Bible)

La conscience de l'homme, c'est la pensée de Dieu.
(V. Hugo)

# PLAISIR

**Telle est la volonté des dieux ;
tout plaisir s'accompagne de peine.
(Plaute)**

Qui cherche le plaisir ne trouve que des chaînes.
(J. Deval)

Rien ne rapetisse l'homme comme les petits plaisirs.
(J. Joubert)

Il faut éviter les plaisirs qui entraînent de grandes douleurs et convoiter les douleurs qui débouchent sur de plus grands plaisirs.
(M. de Montaigne)

Le chemin de l'excès conduit au palais de la sagesse.
(W. Blake)

Une vie guidée par la satisfaction de plaisirs insignifiants est une vie de souffrance.
(S. Levine)

L'homme a pour origine la poussière et il retournera à la poussière. Mais entre-temps, buvons.
(Proverbe juif)

Je bois à la revanche de l'esprit sur l'argent.

Le plaisir est l'ennemi du bonheur.
(A.-H. de Beauchesne)

Entre l'ordre et le désordre règne un moment délicieux.
(P. Valéry)

La peine a ses plaisirs, le péril a ses charmes.
(Voltaire)

Le plaisir le plus délicat est de faire celui d'autrui.
(J. de La Bruyère)

Un sage jouit des plaisirs et s'en passe comme on fait des fruits en hiver.
(Helvétius)

La nature a fait aux hommes des plaisirs simples, aisés, tranquilles, et leur imagination leur en a fait qui sont embarrassants, incertains, difficiles à acquérir.
(B. Fontenelle)

Plaisir, le plus profond et triste mot du monde, qui contient tout l'espoir et contient tout l'oubli.
(A. de Noailles)

Laisse gronder la sagesse ennemie ; le plaisir seul donne un prix à la vie.
(É. de Parny)

Quand le cœur n'y est pas, les sens exigent un renouvellement perpétuel des plaisirs.
(M. Toesca)

L'homme s'ennuie du plaisir reçu et préfère de loin le plaisir conquis.
(Alain)

Pour aller au bout du plaisir, il faut aimer plus que le plaisir.
(M. Chapelan)

Le plaisir est le plus souvent imparfait. Ce n'est pas une raison pour le refuser.
(M. Jouhandeau)

Il n'est pas honteux pour l'homme de succomber sous la douleur, et il est honteux de succomber sous le plaisir.
(B. Pascal)

Lorsque les plaisirs nous ont épuisés, nous croyons avoir épuisé les plaisirs ; et nous disons que rien ne peut remplir le cœur de l'homme.
(L. de Vauvenargues)

Pour un plaisir, mille douleurs.
(F. Villon)

Le plaisir donne ce que la sagesse promet.
(Voltaire)

# POLITIQUE

**Les électeurs se moquent de ceux
qui les éclairent ; ils préfèrent ceux
qui les éblouissent.
(Y. Mirande)**

Vous avez beau ne pas vous occuper de politique, la politique s'occupe de vous.
(M. de Montaigne)

L'art de faire croire à l'impossible.

Quand un diplomate dit « oui », cela signifie « peut-être » ; quand il dit « peut-être », cela veut dire « non » ; et quand il dit « non », ce n'est pas un diplomate.
(H. L. Mencken)

La politique : je préfère en être victime que complice.

En politique, la sagesse est de ne pas répondre aux questions ; l'art, de ne pas se les laisser poser.
(A. Suarès)

# *POUVOIR*

**Un pouvoir est faible s'il ne tolère pas
qu'on l'avertisse de ses erreurs.
(P. Dehaye)**

Si à midi le roi te dit qu'il fait nuit, contemple les étoiles.
(Proverbe perse)

La puissance est le plus fort de tous les ennemis.
(C. Castaneda)

Plus on grimpe dans l'échelle hiérarchique et plus elle vacille.
(Dr L. J. Peter)

Toute ascension dans l'échelle des fonctions, loin d'être un pas vers la liberté, crée une obligation nouvelle. Plus le pouvoir est grand, plus le service est rigoureux.
(H. Hesse)

Ça prend du pouvoir à l'intérieur de l'homme pour donner du pouvoir aux choses.
(C. Castaneda)

Mieux vaut charger d'une expédition un seul homme doué d'une capacité ordinaire que de la confier à deux hommes investis d'une égale autorité.
(N. Machiavel)

Le pouvoir n'est pas quelque chose qui se donne, le pouvoir c'est quelque chose qui se prend.

Le tigre ne proclame pas sa tigritude, mais il tue sa proie et la mange.
(W. Soyinka)

Voulez-vous dire que les Blancs sont intellectuellement supérieurs aux Noirs et ont donc le droit de les réduire en esclavage ? Cette règle fait de vous l'esclave du premier homme dont l'intellect est supérieur au vôtre.
(A. Lincoln)

Le privilège des grands, c'est de voir les catastrophes d'une terrasse.
(J. Giraudoux)

Les limites de la tyrannie sont celles que tolère la patience de ceux qu'elle opprime.
(F. Douglass)

Tout pouvoir est une conspiration permanente.
(H. de Balzac)

Il y a plus de gens pour adorer le soleil levant que le soleil couchant.
(Pompée)

Celui qui visite le sultan doit entrer aveugle au palais et en sortir muet.
(Proverbe arabe)

# PRIÈRE

**L'homme n'est jamais si grand
qu'à genoux devant Dieu.
(N. Bonaparte)**

Si ceux que vous aimez ne veulent pas prier, priez
pour eux.
(J. Dournes)

Prier n'est pas demander, c'est une aspiration de l'âme.

Un cierge qui se consume lentement, c'est ma prière
qui continue...

La dévotion véritable est une réceptivité ininterrom-
pue à la vérité.
(S. Rinpoché)

Il ne faut demander aux dieux que ce qu'ils veulent.
(Socrate)

Il existe un pont entre ceux qui restent et ceux qui
sont disparus : c'est la prière.
(Saint J.-M. Vianney)

Si les hommes savaient l'effet de la prière, ils vivraient
à genoux.
(A. Carrel)

L'homme qui fait sa prière le soir est un capitaine qui
pose des sentinelles. Il peut dormir.
(C. Baudelaire)

Prier c'est reconnaître qu'on ne peut rien tout seul.
(J. de Bourbon)

# PROGRÈS

**Commencez à travailler là où vous êtes.**
**Si d'autres milieux vous sont nécessaires,**
**ils vous seront donnés.**
**(E. Cayce)**

La seule manière pour toi d'améliorer le monde consiste à t'améliorer toi-même.
(F. Garagnon)

Plus nous nous élevons et plus nous paraissons petits à ceux qui ne savent pas voler.
(F. Nietzsche)

La transformation est un voyage sans destination.
(M. Ferguson)

La perfection est une défaite.
(M. Woodman)

Le monde n'avance que grâce à ceux qui s'y opposent.
(E. Young-Bruehl)

La révolution véritablement révolutionnaire se réalisera, non dans le monde extérieur, mais dans l'âme et la chair des êtres humains.
(A. Huxley)

Dans la vie, il faut savoir trouver soi-même les réponses aux questions les plus importantes.
(J. Fowles)

***

L'homme aspire à se fixer, mais il n'y a d'espoir que dans le changement.
(R. W. Emerson)

***

Quand un homme est humble, il peut grandir.
(Lao Tseu)

***

Pour évoluer rapidement, il faut penser à l'impensable.
(Bohémier)

***

Transgresser, c'est progresser.
(L. Bersianik)

***

Si tu fais ce que tu as toujours fait, tu obtiendras ce que tu as toujours obtenu.

***

Avant de s'agrandir au-dehors, il faut s'affermir au-dedans.
(V. Hugo)

***

# *RELIGION*

**Dans la religion tout est vrai,
excepté le sermon ;
tout est bon, excepté le prêtre.
(Alain)**

Ma religion est de vivre et de mourir sans regret.
(Milarépa)

L'importante distinction à faire en religion, ce n'est pas entre ceux qui pratiquent et ceux qui ne pratiquent pas, mais entre ceux qui aiment et ceux qui n'aiment pas.
(Père A. de Mello)

La religion est dans le cœur et non dans le genou.
(D. W. Jerrold)

# *RÊVE*

**Il faut avoir des rêves suffisamment grands
pour ne pas les perdre de vue
pendant qu'on les poursuit.
(W. Faulkner)**

Ce ne sont pas les doux rêveurs qui réussissent, mais les rêveurs purs et durs.

Si vous êtes capable de le rêver, vous êtes capable de le faire.
(W. Disney)

Tout homme aime deux femmes ; l'une est création de son imagination, l'autre n'est pas encore née.
(K. Gibran)

La seule façon pour un rêveur de se sortir d'une situation impossible est de se réveiller.
(D. Pelletier)

L'interprétation des rêves est la voie royale pour parvenir à la connaissance de l'âme.
(S. Freud)

Apprenons à rêver et peut-être alors verrons-nous la vérité.
(A. Kedule)

Nos rêves nous apprennent ce qui nous intéresse vraiment.
(T. Robbin)

Les réponses de la nuit paraissent étranges le jour.
(H. Ouvrard)

Le plus grand rêve, s'il ne devient pas réalité, n'est qu'un rêve qui n'a pas été assez rêvé.
(R. Sabatier)

Une chose ne peut être exclue de la réalité simplement parce que nous ne pouvons la concevoir.
(F. Herbert)

Les rêves sont faits pour être réalisés.
(A. Lanoux)

C'est la possibilité de réaliser un rêve qui rend la vie intéressante.
(P. Coelho)

Ne demande pas à la vie ce que seuls les rêves peuvent te donner.
(F. Garagnon)

Si tu veux que ton rêve s'accomplisse, marche droit devant. Ne te retourne pas.
(F. Garagnon)

On ne peut jamais vivre complètement son rêve, la vie est si petite et le rêve, si grand.

Difficile de dire ce qui est impossible. Le rêve d'hier est l'espoir d'aujourd'hui et la réalité de demain.
(R. Goddard)

Rêve de grandes choses, cela te permettra d'en faire au moins de toutes petites.
(J. Renard)

Nous sommes près de nous réveiller quand nous rêvons que nous rêvons.
(F. Novalis)

Quelqu'un qui ne laisse pas la réalité déranger ses rêves est un sage.
(C. Singer)

Le rêve du méchant est son premier supplice.
(J. Delille)

# SAGESSE

**Au jour de bonheur, sois heureux ;**
**au jour du malheur... réfléchis !**
**(L'Ecclésiaste)**

La plupart des humains ne sont que des enfants qui se croient des hommes. Or, qui veut apprendre la sagesse doit quitter l'enfance pour l'âge adulte.

Ce qui est ici est ailleurs et ce qui n'est pas ici n'est nulle part.
(V. Tantra)

Le bien et le mal sont ennemis, voilà le premier degré de l'initiation ; le bien et le mal sont associés, voilà le second degré de l'initiation ; le bien et le mal ne font qu'un ! Voilà le plus haut degré.
(N. Kazantzákis)

Pratique la souplesse et tu deviendras ferme ; exerce-toi dans la faiblesse et tu deviendras fort.
(Lie-Tseu)

Prendre et créer à partir de ce que l'on a, voilà la plus sage manière de vivre.
(H. James)

Le sage n'est pas celui qui prétend tout savoir, mais celui qui est capable d'apprendre de tout homme.
(Proverbe juif)

Les apparences sont trompeuses et la sagesse se présente souvent sous de très humbles vêtements, car elle est la propriété du pauvre aussi bien que du riche.

Le sage est celui qui médite sans cesse sur le bonheur de l'âme s'encourageant à le ressentir continuellement, de telle manière que l'accomplissement d'actes nobles et désintéressés lui soit une joie et non plus corvée.

Ce n'est pas la réalité qui est vulgaire, c'est l'idéal.
(H. de Montherlant)

L'art d'être sage, c'est l'art de savoir ce que l'on doit oublier.
(W. James)

De l'homme à l'homme vrai, le chemin passe par l'homme fou.
(M. Foucault)

La marque de l'esprit qui n'est pas arrivé à maturité, c'est de vouloir mourir noblement pour une cause, alors que celle de l'esprit mûr, c'est de vouloir vivre humblement pour elle.
(J. D. Salinger)

Quand on progresse, il faut s'attendre à laisser un certain nombre de gens à la traîne.
(G. Sheehy)

La sagesse est une vertu du grand âge et elle n'advient qu'à ceux qui, dans leur jeunesse, surent n'être ni sages ni prudents.
(E. Young-Bruehl)

Ce que l'on n'apprend pas par la sagesse, on l'apprend par la douleur.

La véritable sagesse est de savoir fuir la tristesse.
(Voltaire)

Que la voie soit votre but, la vertu votre jeu, le bien votre racine, les arts votre délassement.
(Confucius)

Avant que de tout perdre, il vaut mieux tout quitter.
(R. Allard)

Conduis-toi sur la terre comme un voyageur et comme un étranger que les affaires du monde ne regardent aucunement.
(G. De Groote)

On peut devenir parfait... mais ignorer la perfection, voilà la perfection.
(Tchouang-Tseu)

Savoir s'arrêter devant l'incompréhensible est la suprême sagesse.
(Tchouang-Tseu)

Le sage est celui qui a gravi tous les degrés de la tolérance et découvert que la fraternité a un regard et l'hospitalité, une main.
(E. Jabès)

Le sage est celui qui sait s'entourer de gens plus intelligents que lui.
(L. N. Fortin)

La supériorité de l'homme se mesure à sa faculté de supporter la solitude, de se suffire intellectuellement à lui-même et de savourer la fécondité du silence.
(M. D. Philippe)

Celui qui étudie la sagesse mais ne la met pas en pratique est comme un homme qui laboure un champ mais ne l'ensemence pas.
(M. Saadi)

La voie qui est la voie n'est pas la voie.
(Lao Tseu)

Le bon sens s'accommode au monde ; la sagesse tâche d'être conforme au ciel.
(J. Joubert)

Le vent de l'adversité ne souffle jamais sur le royaume de la sagesse.
(Proverbe perse)

Le premier degré de la folie est de se croire sage ; le second, de le proclamer.
(Proverbe italien)

C'est en sauvant les autres qu'on se sauve le plus facilement.
(H. Bazin)

Le sage regarde la vie et la mort comme le matin et le soir.
(Sie-Hoei)

Nos joies sont des ailes ; nos peines, des éperons.
(J.-P. Richter)

# SECRET

**Ton secret est ton sang ;
si tu le laisses échapper, tu mourras.
(Proverbe berbère)**

Il y a des choses que l'on peut dire aux autres ; et
d'autres qu'on ne peut dire qu'à soi-même.
(P. Valéry)

Il ne faut confier son secret qu'à celui qui n'a pas cher-
ché à le deviner.
(D. de Beausacq)

Le plus grand plaisir que je connaisse est de faire une
bonne action en secret et qu'elle soit découverte par
hasard.
(C. Lamb)

Le jour a des yeux. La nuit a des oreilles.

Savoir dissimuler est le savoir des rois.
(Cardinal de Richelieu)

# *SÉRÉNITÉ*

**La tâche à laquelle nous devons nous atteler,
ce n'est pas de parvenir à la sécurité,
c'est d'arriver à tolérer l'insécurité.
(E. Fromm)**

On ne peut marcher en regardant les étoiles quand on a une pierre dans son soulier.

Ceux-là seuls peuvent faire régner la paix autour d'eux, qui ont une âme pacifiée.
(Père Valette)

Le fruit du silence est la prière. Le fruit de la prière est la foi. Le fruit de la foi est l'amour. Le fruit de l'amour est le service. Le fruit du service est la paix.
(Mère Teresa)

Qui sait endurer aura la paix.
(Proverbe arabe)

Les traités de paix avec soi-même sont souvent les plus difficiles à conclure.
(R. Gary)

Apprendre à se contenter du momentané, du précaire, du changeant, de l'approximatif, de l'incertain, de l'insuffisant, de l'impur.
(J. Rostand)

La paix et la sérénité justifient tous les renoncements.
(Yi king)

L'enfer est synonyme de résistance. Le paradis, synonyme d'acceptation.
(S. Levine)

La sérénité est le but le plus haut que tu puisses fixer à tes propres efforts.
(Suryakanta)

Accepter les choses justes comme elles sont. S'il pleut, la terre est mouillée ; s'il fait soleil, le monde éclaire. Accepter ce n'est pas se résigner, accepter c'est remporter une grande victoire.
(Proverbe zen)

La paix se trouve sur le chemin du pardon.
(Jean-Paul II)

La paix est une création continue.
(R. Poincaré)

Rien ne doit déranger l'honnête homme qui dîne.
(J. Berchoux)

La sérénité ne peut être atteinte que par un esprit désespéré et, pour être désespéré, il faut avoir beaucoup
vécu et aimer encore la vie.
(B. Cendrars)

# *SILENCE*

**Plus l'âme a reçu dans le silence,
plus elle donne dans l'action.
(E. Hello)**

La voix du silence est celle de la vie qui mûrit.
(É. Durkheim)

Chaque atome de silence est la chance d'un fruit mûr.
(P. Valéry)

Dans le silence s'élève l'esprit immortel.

Il faut deux ans pour apprendre à parler... et toute une vie pour apprendre à se taire.

Oui, le silence est une belle cérémonie.
(Dominicains)

On ne peut jamais être neutre. Le silence est une opinion.
(H. Moret)

Impossible d'entendre les voix intérieures, au milieu des bavardages humains. Divin silence !
(R. Rolland)

La parole sensée ne vient qu'après le silence.
(F. Garagnon)

Si les mots que tu vas prononcer ne sont pas plus beaux que le silence, ne les dis pas.
(Précepte soufi)

Le silence est l'autel de l'esprit.

Les instants vraiment heureux se vivent en silence.
(É. Durkheim)

L'espace de l'esprit, là où il peut ouvrir ses ailes, c'est le silence.
(A. de Saint-Exupéry)

Un lac réfléchit mieux les étoiles qu'une rivière.
(T. Jouffroy)

Il n'y a pas de chose plus utile et plus profitable que le silence.
(Ménandre)

Le silence est le plus haut degré de la sagesse.
(Pindare)

Le meilleur usage que l'on puisse faire de la parole est de se taire.
(Tchouang-Tseu)

Le mot juste a beau être efficace, aucun mot n'aura jamais l'efficacité d'un silence bien placé.
(M. Twain)

L'arbre du silence porte les fruits de la paix.
(Proverbe arabe)

La parole appartient au temps, le silence à l'éternité.
(T. Carlyle)

# SOCIÉTÉ

**Trop de gens dépensent de l'argent
qu'ils n'ont pas encore gagné, pour acheter
des choses qu'ils ne désirent pas afin
d'impressionner des gens qu'ils n'aiment pas.
(W. Rogers)**

Ce qui rend l'égalité difficile, c'est que nous la désirons seulement avec nos supérieurs.
(H. Becque)

Quel que soit l'être qui ferme son journal parce que j'arrive, j'en ressens toujours un immense plaisir.

La télévision est une invention pour les morts ; ils regardent ceux qui vivent.
(F. Leclerc)

Quand tu rends la société responsable, tu finis par te tourner vers la société pour trouver des solutions. Et si tu marches là-dedans, tu payes de ton âme.
(T. Robbins)

Quel que soit l'être qui ferme son journal parce que j'arrive, j'en ressens toujours un immense plaisir.
(B. Lozerech)

Apprendre à vivre comme tout le monde tout en étant comme personne.
(F. Garagnon)

Il faut avoir des amis et des ennemis : des amis pour nous apprendre notre devoir et des ennemis pour nous obliger à le remplir.

Va ton chemin et laisse parler les autres.
(A. Dante)

Celui qui ne fait pas plaisir en arrivant fait plaisir en partant.
(P. Le Goff)

# SOLITUDE

**La solitude est une tempête de silence
qui arrache toutes nos branches mortes.
(K. Gibran)**

Il faut avoir le courage de préférer une solitude fière à
une médiocre compagnie.
(F. Garagnon)

Les meilleures soirées sont celles auxquelles on n'est
pas invité !
(J. Malcolm)

La grandeur est la compagne de la solitude.
(Platon)

Qui va seul n'est pas en mauvaise compagnie.

Nous sommes tous seuls. C'est notre condition.
(C. Castaneda)

J'aime à perdre mon temps, mais avec moi-même.
(J. Rostand)

Dans le paysage de l'âme, il y a un désert, une région sauvage, un vide, et tous les grands chercheurs doivent traverser ce désert pour atteindre le commencement de leur chemin.
(R. F. Nelson)

Pour vivre heureux, vivons caché.
(J.-P. de Florian)

Nul ne peut veiller sur sa solitude s'il ne sait se rendre odieux.
(E. M. Cioran)

Mieux vaut être seul qu'avec des idiots.
(Lafontaine)

Être adulte, c'est être seul.
(J. Rostand)

La solitude vivifie ; l'isolement tue.
(J. Roux)

Il ne faut pas que solitude rime avec attitude, mais avec altitude.
(M. Chapelan)

Notre grand tourment dans l'existence vient de ce que nous sommes éternellement seuls, et tous nos efforts, tous nos actes ne tendent qu'à fuir cette solitude.
(G. de Maupassant)

Une des malédictions de la solitude, c'est qu'elle vous contraint à penser excessivement à vous-mêmes.
(J. Prieur)

La solitude est un habit difficile à porter, mais quand on réussit à le vêtir, ça marche.
(P. Séban)

On va à la gloire par le palais, à la fortune par le marché et à la vertu par le désert.
(Proverbe chinois)

# *SOURIRE*

**Le sourire est le langage universel de la bonté !**
**(W. A. Word)**

Ce qui est vrai sourit.
(Sri Aurobindo)

Un sourire ne s'entend pas au téléphone.
(L. Durrell)

Commencez par rire de vous-même... avant que quelqu'un d'autre ne s'en charge !
(E. Maxwell)

L'approche de l'absolu se signale par le rire.
(M. Tournier)

Un être qui a cessé de rire est un être qui a cessé de vivre.

Le sourire est la perfection du rire.
(Alain)

301

Si quelqu'un est trop las pour te donner un sourire,
laisse-lui le tien.
(Proverbe chinois)

Nous rions et nous rirons, car le sérieux a toujours été
l'ami des imposteurs.
(J. Foscolo)

# SOUVENIR

**Le souvenir est le parfum de l'âme.**
**(G. Sand)**

Dans les souvenirs, les plaisirs s'embellissent et les douleurs s'effacent.
(J. Dutourd)

Oublier, non ! Mais tu dormais dans mon cœur et je n'osais pas te réveiller.
(Comtesse de Ségur)

Chacun porte au fond de lui un petit cimetière : tous ceux qu'il a aimés.
(R. Rolland)

D'une joie même, le souvenir a son amertume, et le rappel d'un plaisir n'est jamais sans douleur.
(O. Wilde)

# *SPIRITUALITÉ*

**Le grand péché du monde moderne,
c'est le refus de l'invisible.
(J. Green)**

Il y a des moments excitants dans la vie, mais la spiritualité s'exerce dans le petit quotidien.

En fin de compte, où peut-on aller sinon en soi-même ?
(P. Richard)

Retournez, retournez à l'infini, lui seul est assez grand pour l'homme.
(H. Lacordaire)

L'homme se sent tellement passager, qu'il a toujours de l'émotion en présence de ce qui est immuable.
(G. de Staël)

La transformation est un voyage sans destination.
(M. Ferguson)

Le nirvana existe. Il est là au moment où tu bordes ton enfant dans le berceau.
(K. Gibran)

On atteint la lumière en choisissant la lumière.
(M. Williamson)

L'intelligence est la suprême séduction de l'esprit. Cherchez la vérité au-delà de l'esprit. L'amour servira de pont.
(S. Levine)

Quand tu auras chassé tout ce qu'il y a d'obscur en toi, tu rayonneras.
(F. Garagnon)

Ce qui importe, c'est de percevoir non la solution, mais l'énigme.
(E. Jünger)

Il arrive souvent que ce que l'on trouve est plus important que ce que l'on cherchait.

Tout sera un jour compréhensible pourvu qu'on essaie de rester debout ou à genoux, pourvu qu'à travers tout on essaie quand même de dire oui à la lumière et merci au désert.
(A. Andra)

Un maître est un livre vivant et chaque effort pour le déchiffrer est un pas vers la perfection.
(O. M. Aïvanhov)

Pour qui réalise le détachement intérieur, il n'est plus, ici-bas, ni bien ni mal.
(Bhagavad-Gitâ)

L'expansion de la conscience est l'entreprise la plus risquée sur terre. Nous mettons en danger le *statu quo*. Nous menaçons notre confort.
(M. Ferguson)

Tout ce qui se prouve est vulgaire.
(J. Cocteau)

Que la terre est petite à qui la voit des cieux.
(J. Delille)

Pour descendre en nous-mêmes, il faut d'abord nous élever.
(J. Joubert)

Le ciel est pour ceux qui pensent.
(J. Joubert)

Ne regardons pas les choses qui se voient, mais celles qui ne se voient pas. Les choses visibles, en effet, n'ont qu'un temps, les invisibles sont éternelles.
(Saint Paul)

Le premier pas vers la sainteté est le désir de devenir saints.
(Mère Teresa)

Croyez en la lumière et vous deviendrez fils de la lumière.

Seules les vérités éternelles sont capables de remplir notre cœur.
(Saint Vincent de Paul)

La vie spirituelle commence à partir du moment où nous découvrons que toute la réalité de nos actes réside dans les pensées qui les produisent.
(L. Lavelle)

Une vie est belle, où l'on commence par se croire quelque chose, et finit par ne se croire rien.
(H. de Montherlant)

# SUCCÈS

**Faire quelque chose de remarquable
vaut mieux qu'être remarqué.
(Confucius)**

Tout grand succès se paie d'un grand sacrifice.
(J. H. Newman)

Celui qui se laisse trop rapidement griser par le succès
n'en profite pas longtemps.
(Yi king)

Ne vous laissez pas prendre au piège par le désir de
réussir. Ainsi vous réussirez tout.
(F. Herbert)

Le succès n'est pas au bout du chemin. Il est dans ta
démarche même.

Il ne suffit pas de réussir, il faut durer.

Pour un vainqueur, il n'est pas de penchant plus dangereux que de croire que tout est définitivement acquis.

Il vaut mieux devenir un homme de valeur qu'un homme de succès.
(A. Einstein)

Réussir, c'est insister.
(F. Garagnon)

La réussite des gens persévérants commence là où finit l'échec des autres.
(E. Egglenton)

Rire souvent et beaucoup, mériter le respect des gens intelligents et l'affection des enfants, gagner l'estime des critiques honnêtes et endurer les trahisons de ceux qui ne sont pas de vrais amis, apprécier la beauté, trouver ce qu'il y a de mieux dans les autres, laisser derrière soi un monde un peu meilleur, par un bel enfant, un jardin fleuri, ou une condition sociale moins dure, savoir qu'une vie seulement a respiré plus facilement grâce à vous, voilà ce qu'est la réussite.

La victoire est la mère de beaucoup d'illusion.
(Mao Tsê-Tung)

Il faut savoir s'arrêter quand on est au sommet, sinon, on descend.
(Yi king)

Dans la vie, toutes les réussites sont des échecs qui ont raté.
(R. Gary)

Il est des victoires qui mènent à l'impasse, comme il est des défaites qui ouvrent des voies nouvelles.
(P. Bruckner)

Pour réussir, il ne suffit pas de prévoir, il faut aussi savoir improviser.
(I. Asimov)

Le but est dans chacun de tes pas.
(J. L. Borges)

Impose ta chance, / serre ton bonheur et va vers ton risque. / À te regarder, ils s'habitueront.
(R. Char)

S'il est une qualité que possèdent les gens qui réalisent de grandes choses, c'est la ténacité. Pour compléter le voyage le plus difficile, il nous faut franchir un pas à la fois, mais ne pas cesser de faire des pas.
(S. Ross)

Les objectifs orientent le comportement, les résultats le renforcent.
(K. Blanchard)

La bonne semence, si elle tombe dans la mer, deviendra une île.
(Proverbe malais)

Certains rêvent au succès... pendant que d'autres travaillent fort pour l'atteindre.

La réussite est un cheminement, pas une destination.
(B. Sweetland)

Commencez par le commencement, dit gravement le roi, et continuez jusqu'à la fin ; alors arrêtez-vous.
(L. Carroll)

Se soucier d'être digne d'un emploi est mieux que se soucier de l'emploi.
(Confucius)

La difficulté de réussir ne fait qu'ajouter à la nécessité d'entreprendre.
(P. A. de Beaumarchais)

Qui veut faire de grandes choses doit penser profondément aux détails.
(P. Valéry)

Les dieux aident ceux qui s'aident.
(M. T. Varron)

Pendant la faveur de la fortune, il faut se préparer à sa défaveur.
(M. de Montaigne)

Celui qui attend le succès est moins sûr de le rencontrer que celui qui va au-devant d'elle.
(Proverbe perse)

Vouloir peu de chose à la fois mais le vouloir à tout prix ; c'est le secret de la victoire.
(Maréchal F. Foch)

Qui dort sur sa victoire la perd.

# *TEMPS*

**Il faut apprendre à vivre le moment présent
comme un morceau d'éternité.**

La force des jours ne vient pas de leur accumulation
mais de leur renaissance perpétuelle.
(J. de Bourbon)

On n'est pas né pour la gloire lorsqu'on ne connaît
pas le prix du temps.
(L. de Vauvenargues)

Demain ! quelquefois, c'est de la prudence ; très souvent, c'est le mot des vaincus.
(B. J. Escriva)

Tuer le temps n'est pas un meurtre, c'est un suicide.
(A. Robbins)

Le temps sera le maître de celui qui n'a pas de maître.
(C. Cahier)

La façon la plus délicieuse de prolonger ses journées,
est de voler quelques heures à la nuit.
(T. Moore)

Le problème avec le futur, c'est qu'il arrive habituellement avant que l'on soit prêt pour lui.

L'avenir, c'est aussi bien l'espoir et les rêves que l'incertitude et la peur.
(Yi king)

Douter de l'avenir, n'est pas le moyen de le créer.
(Yi king)

Le monde appartient à ceux qui se lèvent tôt... et se couchent tard.

La solution de certains problèmes appartient au temps.

Le temps ne passe pas, il reste identique à lui-même. C'est nous qui passons.
(O. Rajneesh)

Le temps qui passe est mauvais, dit le fruit, puisqu'il me fait pourrir. Le temps qui passe est bon, dit le vin, puisqu'il me bonifie. Le temps n'est ni bon ni mauvais, dit l'arbre, puisqu'il fait à la fois vivre et mourir, puisqu'il est perpétuelle renaissance.
(F. Garagnon)

Le manque de temps : merveilleux alibi de l'homme moderne pour pallier ses propres manques.
(F. Garagnon)

Un à un les grains s'écroulent, un à un les moments passent.
(A. A. Proctor)

L'art est long, le temps est court.
(C. Cross)

L'homme n'a point de port, le temps n'a point de rive ; il coule et nous passons.
(A. de Lamartine)

Le temps ressemble à un hôte du grand monde, qui serre froidement la main à l'ami qui s'en va et qui, les bras étendus, embrasse le nouveau venu.
(W. Shakespeare)

Il faut recevoir le passé avec respect et le présent avec défiance, si l'on veut pourvoir à la sûreté de l'avenir.
(J. Joubert)

Le présent est chargé du passé et il est gros de l'avenir.
(G. W. Leibniz)

Le temps use l'erreur et polit la vérité.
(G. de Lévis)

La plus coûteuse des dépenses, c'est la perte de temps.
(Théophraste)

Ce n'est pas la rivière qui court, mais l'eau ; ce n'est pas le temps qui passe, mais nous.
(H. Bazin)

Il faut laisser le passé dans l'oubli, et l'avenir à la Providence.
(J. B. Bossuet)

La connaissance du passé et de l'avenir ne vaut pas le bon usage du présent.
(Franklin)

Le plus beau moment de la vie, c'est la minute présente.
(D.-S. Lemoine)

La précipitation vient du diable ; Dieu travaille lentement.
(Proverbe perse)

Ce qui est passé a fui ; ce que tu espères est absent ; mais le présent est à toi.
(Proverbe arabe)

Le temps aux plus belles choses / se plaît à faire un affront, / et saura faner vos roses / comme il a ridé mon front.
(P. Corneille)

Le temps passe. Et chaque fois qu'il y a du temps qui passe, il y a quelque chose qui s'efface.
(J. Romains)

Au lieu d'espérer et d'attendre le temps, ne vaut-il pas mieux utiliser son temps ?
(Siun-Tseu)

# TRAVAIL

**Le but du travail n'est pas tant de faire des objets que de faire des hommes.**
**(L. Del Vasto)**

Sache des statues qu'elles existent dans le marbre, il suffit de les en faire sortir avec le ciseau.
(Michel-Ange)

Le résultat dépend de Dieu ; ce qui dépend de nous, c'est l'effort.
(F. Garagnon)

Nous avons le choix entre nous rendre misérables ou nous rendre forts. Et pour réussir l'un ou l'autre, cela nécessite la même somme de travail.
(C. Castaneda)

Si une coupe d'eau ne suffit pas à éteindre un incendie, il ne faut pas en conclure que l'eau est impuissante contre le feu.
(Mong-Tseu)

À quoi sert de redoubler d'efforts si nous avons oublié notre but ?

Qui veut tout faire ne fera jamais rien.
(A. Maurois)

Si je disposais de neuf heures pour abattre un arbre, j'en emploierais six pour affûter ma hache.
(A. Lincoln)

Le travail éloigne de nous trois grands maux : l'ennui, le vice et le besoin.
(Voltaire)

Faites la moitié du travail. Le reste se fera tout seul.
(J. Cocteau)

Le travail est beau et noble. Il donne une fierté et une confiance en soi que ne peut donner la richesse héritée.
(A. de Vigny)

Ne perdez pas de temps à vous plaindre de tout le travail qui vous reste à faire ; mettez-vous à la besogne.
(Curé d'Ars)

Un effort n'est fructueux que s'il s'est fait dans la joie.
(Upanishad)

On ne perd pas de temps quand on aiguise ses outils.
(Proverbe français)

La retraite, qu'est-ce que c'est, sinon la permission officielle de rouiller ?
(J. Boissard)

# TRISTESSE

**Ceux qui ne pleurent jamais
sont pleins de larmes.
(N. Chapelan)**

Tristesse est poésie toutes les fois que tristesse est sans cause.
(X. Forneret)

N'aie point de honte de ces larmes, ô mon frère ; elles jaillissent de la poésie de ton âme. Et disent plus éloquemment ta gratitude que bien des paroles choisies.

La joie est bonne à mille choses, mais le chagrin n'est bon à rien.
(P. Corneille)

Ne me secouez pas. Je suis plein de larmes.
(H. Calet)

Il n'est pas de tristesse que le ciel ne puisse guérir.
(T. Moore)

# *VÉRITÉ*

**L'erreur ne devient pas vérité parce qu'elle se propage et se multiplie ; la vérité ne devient pas erreur parce que nul ne la voit.**
**(M. K. Gandhi)**

Quand on cherche la vérité, on chemine tout seul ; la voie est trop étroite pour un groupe.
(Père A. de Mello)

Ne crois pas que l'opinion que tu défends soit nécessairement vraie parce que tu es sincère.

Il y a des temps où il ne suffit pas de dire la vérité, il faut la crier.
(G. Cesbron)

Ne retenez que ce qui ne se voit pas.
(H. Matisse)

Une illusion de moins, c'est une vérité de plus.
(A. Dumas)

On n'atteint les certitudes qu'à pied.
(A. Porchia)

Je me suis gardé de faire de la vérité une idole, préfé-
rant lui laisser son nom plus humble d'exactitude.
(M. Yourcenar)

Il n'y a rien de plus contradictoire que la vérité.
(L. Durrell)

Plutôt se contredire avec sincérité que tricher avec soi,
afin d'avoir raison. Je ne tiens pas à avoir raison. Je
tiens à être vrai.
(R. Rolland)

Les vérités que l'on ne perçoit pas n'en restent pas
moins des vérités.

Donne un cheval à celui qui dit la vérité, il en aura
besoin pour s'enfuir.
(Proverbe persan)

Une seule condition accompagne le don de la vérité,
l'obligation de s'en servir.
(R. W. Emerson)

Les gens ne veulent pas la vérité. Ils veulent se faire
rassurer.
(Père A. de Mello)

Les hommes sont toujours sincères, ils changent de
sincérité, voilà tout.
(T. Bernard)

Mourir pour une cause ne fait pas que cette cause soit juste.
(H. de Montherlant)

Les faits ne cessent pas d'exister parce qu'on les ignore.
(A. Huxley)

Platon m'est cher, mais la vérité l'est encore davantage.
(Aristote)

Seuls nos doutes augmentent avec l'âge, et non nos certitudes.
(L. Szabo)

Une bonne confession vaut mieux qu'une mauvaise excuse.
(J. Hamon)

Il n'y a pas de prescription contre la vérité.
(P. Bayle)

Il n'est permis d'affirmer qu'en géométrie.
(Voltaire)

On n'est pas philosophe parce qu'on trouve, mais parce qu'on cherche.
(E. Bersot)

L'homme qui ne craint pas la vérité n'a rien à craindre du mensonge.
(T. Jefferson)

Chacun sa vérité.
(L. Pirandello)

Le doute est un hommage que l'on rend à la vérité.
(E. Renan)

La vérité est dure comme le diamant et fragile comme une fleur.
(M. K. Gandhi)

La plus humble chose a sa vérité silencieuse.
(O. V. de L. Milosz)

C'est la certitude qu'ils tiennent la vérité qui rend les hommes cruels.
(A. France)

C'est souvent lorsqu'elle est le plus désagréable à entendre qu'une vérité est le plus utile à dire.
(A. Gide)

La vérité ? Qui peut se vanter de la dire !

Il faut avoir beaucoup d'imagination pour dire la vérité, car on ne la connaît jamais tout entière.
(S. Guitry)

Vérité dans un temps, erreur dans un autre.
(C. de Montesquieu)

La vérité est en marche et rien ne l'arrêtera.
(É. Zola)

Bien des erreurs sont nées d'une vérité dont on abuse.
(Voltaire)

La raison se compose de vérités qu'il faut dire et de
vérités qu'il faut taire.
(A. Rivarol)

# *VERTU*

**La vertu, c'est le courage de devenir
ce qu'on est de plus beau.
(J. Kelen)**

Qui plante la vertu, ne doit pas oublier de l'arroser souvent.
(Le Chou King)

Un homme de savoir qui ne possède aucune vertu est comme un porteur de torche aveugle. Il guide les autres mais lui-même n'a pas de guide.
(M. Saadi)

Si une vertu vous fait défaut, feignez de la posséder.
(W. Shakespeare)

L'humilité rend invulnérable.
(M. von Ebner-Eschenbach)

Aux vertus qu'on exige dans un domestique, Votre Excellence connaît-elle beaucoup de maîtres qui fussent dignes d'être valets ?
(P. A. de Beaumarchais)

L'honnête homme monte, le vulgaire descend.
(Confucius)

---

Quand le sacrifice monte, la grâce descend toujours.
(D. Marmion)

---

Fuir le vice est le commencement de la vertu.
(Horace)

---

Ce qui étonne, étonne une fois ; mais ce qui est admirable est de plus en plus admiré.
(J. Joubert)

---

L'homme le plus vertueux est celui qui travaille tous les jours à le devenir.
(F. de La Rochefoucauld)

---

L'humilité devrait faire comprendre à celui qui la possède qu'il n'est rien. Dès qu'on imagine être quelque chose, il y a égoïsme.
(Gandhi)

---

Lorsqu'un saint pénètre dans une taverne, la taverne devient sa cellule.
(Proverbe arabe)

---

Ne vous affligez pas de n'être pas connu de personne, mais travaillez à vous rendre digne d'être connu.
(Confucius)

---

# *VIE*

**La vie est trop courte pour être petite.**
**(B. Disraeli)**

Devenir adulte, c'est reconnaître, sans trop souffrir, que le père Noël n'existe pas. C'est apprendre à vivre dans le doute et dans l'incertitude.
(H. Reeves)

La vie n'est pas une répétition systématique, mais une remise en cause permanente.

La vie est une chance, saisis-la ; la vie est beauté, admire-la ; la vie est rêve, fais-en une réalité.
(Mère Teresa)

La vie est un mystère ; on peut le vivre, on ne peut pas le comprendre.
(M. Naslednikov)

Le malheur des hommes est de se demander quoi tirer de l'existence, au lieu de donner quelque chose à la vie.
(L. Pauwels)

J'ai soin de bien vivre afin de bien mourir.
(Tchouang-Tseu)

Il n'y a pas d'amour de vivre sans désespoir de vivre.
(A. Camus)

Vivre sa propre vie ne signifie pas être en charge de ce qui se passe autour de soi, cela signifie être en charge de ce qui se passe à l'intérieur de soi-même.
(G. Finley)

La vie est richesse, conserve-la ; la vie est amour, jouis-en ; la vie est mystère, perce-le.
(Mère Teresa)

Nous sommes les créateurs de notre propre univers et récoltons ce que nous avons semé.
(R. Bach)

On ne peut comprendre la vie qu'en regardant en arrière ; on ne peut la vivre qu'en regardant en avant.

La vie est ton navire et non pas ta demeure.
(A. de Lamartine)

« Toujours quelque chose. »
(M. T. Rosicki)

On se demande parfois si la vie a un sens... Et puis on rencontre des êtres qui donnent un sens à leur vie.
(G. Brassaï)

Chaque matin à mon réveil, je me dis : « C'est un miracle que je sois encore en vie. » Alors je continue à repousser mes limites.
(J.-Y. Cousteau)

La vie que tu mènes n'est pas étrangère à ce que tu es.

À présent, il ne s'agit plus de vivre ma vie, il s'agit de la comprendre.
(N. Bonaparte)

La vie est un jeu dont la règle numéro un est la suivante : attention, ce n'est pas un jeu.
(A. Watts)

On ne nous a pas demandé si nous voulions jouer. Nous n'avons pas le choix. Il faut jouer. Le choix est dans la manière de jouer.
(Père A. de Mello)

Le plus grand miracle est la vie elle-même.
(S. Rimpoché)

La vie est facile, c'est vivre qui est difficile.

C'est parce que tu es compliqué que ta vie est compliquée.
(F. Garagnon)

La vie est une aventure, ose-la ; la vie est bonheur, mérite-le ; la vie est la vie, défends-la.
(Mère Teresa)

Quittez cette vie en créatures plus hautes que vous y étiez entrées.
(A. Soljenitsyne)

Le vrai miracle n'est pas de marcher sur les eaux, ni de voler dans les airs. Il est de marcher sur la terre.
(M. de Smedt)

La vie a plus d'imagination que n'en portent nos rêves.

Vivons, mon amour, et n'évaluons pas à grand-chose tout ce que disent les vieillards bourrus.
(Catulle)

La vie est faite de marbre et de boue.
(N. Hawthorne)

Notre vie est un livre qui s'écrit tout seul. Nous sommes des personnages de roman qui ne comprenons pas toujours bien ce que veut l'auteur.
(J. Green)

Votre vie est un monde infini ; vous pouvez aller au-delà de tout ce que vous connaissez.
(S. Roman)

Vivre à moitié vaut mieux que mourir tout à fait.
(Hekanakht)

Vivre c'est comme peindre un tableau et non comme faire une addition.
(O. W. Holmes)

Quelqu'un devrait nous dire dès le début de notre vie que nous sommes en train de mourir. Alors, peut-être vivrions-nous pleinement chaque minute de chaque jour. Faites dès maintenant tout ce que vous désirez faire ! Nos lendemains sont comptés.
(M. Landon)

Le grand but de la vie n'est pas le savoir, mais l'action.
(T. Huxley)

Votre vie quotidienne est votre temple et votre religion.
(K. Gibran)

Dans la vie, tout concourt et tout consent.
(Hippocrate)

La vie est une tragédie pour celui qui sent et une co-médie pour celui qui pense.
(J. de La Bruyère)

La vie n'est supportable que lorsque le corps et l'âme vivent en parfaite harmonie, qu'il existe un équilibre naturel entre eux, et qu'ils ont, l'un pour l'autre, un respect réciproque.
(D. H. Lawrence)

La vie n'aime pas les gens qui se plaignent. La vie aime ceux qui l'aiment.
(A. Rubinstein)

Je demande moins à la vie, donc je reçois plus.

Vivre, c'est naître lentement. Il serait un peu trop aisé d'emprunter des âmes toutes faites.
(A. de Saint-Exupéry)

La vie de l'homme est comme une chandelle dans le vent.
(Proverbe chinois)

Mieux on remplit sa vie, moins on craint de la perdre.
(Alain)

La vie est un travail qu'il faut faire debout.
(Alain)

L'homme devrait mettre autant d'ardeur à simplifier sa vie qu'il en a mis à la compliquer.
(H. Bergson)

Ci-gît un chevalier, qui sans cesse courut, qui sur les grands chemins naquit, vécut, mourut ; pour prouver ce qu'a dit le sage ; que notre vie est un voyage.

Le plus beau présent de la vie est la liberté qu'elle vous laisse d'en sortir à votre heure.
(A. Breton)

La vie est la première partie de la mort.
(J. Cocteau)

La vie que nous recevons le jour de notre naissance n'est qu'un acompte sur la vraie vie, que nous devrons découvrir seuls.
(P. Guth)

L'histoire de ma vie est l'histoire de mon cœur.
(A. de Musset)

Qu'est-ce qu'une grande vie sinon une pensée de la jeunesse exécutée par l'âge mûr.
(A. de Vigny)

La vie est défi, fais-lui face ; la vie est un devoir, accomplis-le ; la vie est précieuse, prends-en soin.
(Mère Teresa)

# VIEILLESSE

**Les vieillards qui vivent dans leur corps plient sous la charge. Ceux qui habitent leur cœur sont resplendissants.**
**(S. Levine)**

Savoir vieillir est le chef-d'œuvre de la sagesse et un des chapitres les plus difficiles du grand art de vivre.
(H. F. Amiel)

La vieillesse n'est pas une fin, c'est un sommet.
(N. Champagne)

À la retraite on ne se retire pas de la vie, on y entre.

On ne devient vieux que le jour où l'on s'arrête de vivre, alors que la vie continue.
(C. Aveline)

Qui aime n'aura jamais peur des cheveux blancs.
(Kouo Yu)

La chose la plus agréable quand on est vieux, c'est qu'on n'est plus inquiet à la perspective de vieillir.
(G. Sheehy)

Quand on se croit vieux, on le devient.
(A. David-Neel)

On n'est pas vieux tant que l'on cherche.
(J. Rostand)

Quand on vieillit, les colères deviennent des tristesses.
(H. de Montherlant)

Nous désirons tous atteindre la vieillesse et nous refusons tous d'y être parvenus.
(F. de Quevedo)

La sagesse des vieillards, c'est une grande erreur. Ce n'est pas plus sage qu'ils deviennent, c'est plus prudents.
(E. Hemingway)

Le dramatique de la vieillesse, ce n'est pas qu'on se fait vieux, c'est qu'on reste jeune.
(O. Wilde)

Une rose d'automne est plus qu'une autre exquise.
(Agrippa)

Ses rides sur son front ont gravé ses exploits.
(P. Corneille)

La plus grande gloire pour un vieillard est de se voir aimé pour lui-même. Il a ainsi passé avec succès son dernier examen.
(F. Bac)

La vieillesse qui est une déchéance pour les êtres ordinaires est, pour les hommes de génie, une apothéose.
(A. France)

La vieillesse est si longue qu'il ne faut pas la commencer trop tôt.
(B. Groult)

La vieillesse apporte une lucidité dont la jeunesse est bien incapable et une sérénité bien préférable à la passion.
(M. Jouhandeau)

La vieillesse ne me semble pas du tout le morne vestibule de la mort, mais plutôt les vraies grandes vacances, après le surmenage des sens, du cœur et de l'esprit que fut la vie.
(M. Jouhandeau)

La vieillesse nous attache plus de rides en l'esprit qu'au visage.
(M. de Montaigne)

En vieillissant, on comprend de moins en moins la vie et les hommes : cela s'appelle avoir de l'expérience.
(M. Chapelan)

Du moment qu'on ne progresse plus, on se répète que c'est vieillir. Il n'est pour demeurer jeune que de ne pas cesser de grandir.
(M. Jouhandeau)

Le soir montre ce qu'a été le jour.
(Proverbe latin)

Le cœur ne vieillit pas, mais il est parfois pénible de loger un Dieu dans des ruines.
(Voltaire)

# VOYAGE

**Je suis le seul capitaine
sur le navire de mes voyages intérieurs.
(C. Archambault)**

L'homme n'a pas besoin de voyager pour s'agrandir ; il porte avec lui l'immensité.
(F. R. de Chateaubriand)

Le plus fertile des voyages s'effectue toujours en soi-même.
(J. Lacarrière)

Le voyage est un retour vers l'essentiel.
(Proverbe tibétain)

Voyager est inutile ; au retour on retrouve intact ce qu'on avait fui.
(J. Laurent)

Le charme de voyager c'est d'effleurer d'innombrables et riches décors et de savoir que chacun pourrait être nôtre et de passer outre, en grand seigneur.
(C. Pavese)

Quand on voyage sans cesse, on finit par ne plus connaître personne.
(A. Gary)

Les premiers pas d'une excursion déterminent souvent toute l'allure d'un voyage.
(G. Meir)

Le rythme de la caravane est déterminé par le plus lent des chameaux.
(Proverbe arabe)

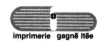

imprimerie gagné ltée

IMPRIMÉ AU CANADA